13

PEURS

Bayard

C A N A D A

Catalogage avant publication de Bibliothèque et Archives nationales du Québec
et Bibliothèque et Archives Canada

Vedette principale au titre :

13 peurs

ISBN 978-2-89579-682-4

1. Peur – Anthologies. 2. Littérature québécoise – 21ᵉ siècle. I. Marois, André,
1959- . II. Goldstyn, David, 1992- . III. Lacasse, Anouk, 1977- . IV. Binette, Réal.
V. Titre : Treize peurs.

PS8237.F42T73 2015   C840.8'0353   C2015-941000-2
PS9237.F42T73 2015

Dépôt légal – Bibliothèque et Archives nationales du Québec, 2015
Bibliothèque et Archives Canada, 2015

Direction éditoriale : Nicholas Aumais, Thomas Campbell et Gilda Routy
Révision : Josée Latulippe
Mise en pages : Interscript
Illustrations de la couverture : © Shutterstock
Illustrations des pages intérieures : © Anouk Lacasse (p. 75), © David Goldstyn (p. 120)
et © Réal Binette (p. 163)

© Bayard Canada Livres inc. 2015

 Financé par le gouvernement du Canada / Funded by the Government of Canada | Canadä

Nous reconnaissons l'aide financière du gouvernement du Canada par l'entremise du Fonds
du livre du Canada (FLC) pour des activités de développement de notre entreprise.

 Conseil des arts   Canada Council
du Canada   for the Arts

Nous remercions le Conseil des arts du Canada de l'aide accordée à notre programme
de publication.

Cet ouvrage a été publié avec le soutien de la SODEC. Gouvernement du Québec –
Programme de crédit d'impôt pour l'édition de livres – Gestion SODEC.

Bayard Canada Livres
4475, rue Frontenac, Montréal (Québec) Canada H2H 2S2
Téléphone : 514 844-2111 ou 1 866 844-2111
edition@bayardcanada.com
bayardlivres.ca

Imprimé au Canada

Offert en version numérique
» numérique   978-2-89579-740-1
bayardlivres.ca

ANDRÉ MAROIS

Peur de rien

T'as vu ce qui est écrit derrière mon chandail?

Dans mon dos, c'est marqué IMPROVISATION.

Parce que je fais ça dans la vie : j'improvise. Mais pas n'importe quoi. Je fais partie de l'équipe de mon école. On a des entraînements, de la préparation. On en affronte d'autres dans une ligue, à travers tout le Québec. On est pas mal bons.

Le truc en impro, c'est d'avoir des réflexes affûtés. Ton cerveau doit être plus rapide que toi. Dès qu'on te donne un sujet, tu sais ce que tu vas raconter et comment tu vas le jouer. Ça doit aller très vite. Quels que soient le type d'improvisation, le style et le nombre de joueurs, tu dois être capable de sauter sur la glace. Ton texte, c'est toi qui l'écris petit à petit, en réaction aux autres. J'adore ça. Tu ne peux pas tricher. C'est comme si t'étais tout nu sur scène, sans artifice.

Ça, c'est quand je joue en équipe. Si je me plante, ce n'est pas si grave, mes copains peuvent rattraper mes moments de faiblesse.

Quand je suis seul, en mode YouTube, je change de partition. Mon public, je ne le vois pas, mais je sais qu'il me regarde de partout. Notre planète a des yeux tout autour de la terre. Les thèmes de mes performances, ce n'est plus un tirage au sort qui me les impose. C'est moi qui choisis le lieu, l'heure et le défi.

Mon défi.

Je n'ai peur de rien. Et je n'ai pas besoin de chandail pour le prouver. Sur YouTube, on peut voir toutes mes expériences. Je me filme et j'imagine aussitôt mes futurs spectateurs qui frémissent. Ils ont la chienne à ma place. Ils doivent mettre la main devant leur bouche en suppliant leur écran d'ordinateur : « Oh non, fais pas ça ! » Ils ferment les yeux en pensant : « Je peux pas voir ce qui va se passer », « Je suis pas capable ». Mais je sais qu'ils finissent par tout regarder entre leurs doigts, du début à la fin. Ou bien, ils demandent à leurs copains comment ça se termine. « Alors, il s'en sort ou pas ? »

En tout cas, c'est ce que certains écrivent dans leurs commentaires.

Les gens sont des voyeurs. Et moi, je suis si jeune. Je n'ai pas un physique de bûcheron. Je suis imberbe. J'ai l'air si vulnérable.

Mais je ne le suis pas.

La preuve : je suis encore là pour vous raconter mon histoire. Et ça, ce n'est pas de l'improvisation.

Au début, j'ai fait comme tout le monde. Pour me tester. J'ai essayé les défis à la mode, ceux dont on parle à la radio et sur Facebook, parce qu'ils sont devenus grand public. Ou à cause d'un imbécile qui est mort.

J'ai sauté du deuxième étage dans une piscine hors terre. Le truc, c'est de ne pas plonger tête première ni de piquer droit dans l'eau, sinon gare aux commotions. Ça claque un peu sur la peau, ça éclabousse. C'est spectaculaire, mais sans plus. Les accidents se produisent quand les gars sont saouls. Ils ratent leur cible et ça fait mal.

Je me suis bien sûr enflammé la poitrine avec de l'alcool à friction. Ce n'est quand même pas si terrible. J'ai supprimé la séquence où on me voit brûler comme les milliers d'autres ados qui ont eu la même idée brillante. Quand la planète entière reproduit les mêmes gestes, ça n'a plus d'intérêt. Mais ça, je ne l'ai découvert que récemment.

Plus jeune, je me suis pendu à un portemanteau avec mon foulard, le temps d'un flash, d'un évanouissement, d'une jouissance. Un truc de gamin, mais le plaisir fugitif qu'on éprouve n'a rien de spectaculaire. Comme dirait l'autre : *check*. Ce qui est fait n'est plus à faire. Il paraît que certains en sont morts. C'est regrettable, et ça prouve surtout qu'ils ne savaient pas ce qu'ils faisaient. Il faut toujours bien se documenter avant de se lancer dans une nouvelle expérience. Ça évite de commettre des erreurs fatales. Comme le pauvre type qui a sauté en bicyclette dans une rivière avec les pieds attachés aux pédales. Il avait peur de perdre son vélo et il a perdu la vie. Il a gagné son pari, mais il n'en a pas profité, vu qu'il s'est noyé.

Mais c'est aussi pour cela qu'on joue à ce genre de jeu. Pour flirter avec le danger et l'accident. Pour tutoyer la mort.

Fermer les yeux le plus longtemps possible en courant. Ne les rouvrir qu'après avoir entendu un cri ou frappé un mur. Je m'y suis essayé avec succès : un bras cassé.

En fait, lorsque je lis des témoignages sur des paris de ce genre, je me sens de plus en plus comme un extraterrestre. Je regarde des vidéos où des gars restent le plus tard possible devant un train qui leur fonce dessus, avant de se pousser à la dernière seconde, et je les trouve trop faciles.

Si on est dans un état normal, si on se concentre, si on prépare bien son affaire, il n'y a pas de raison qu'on rate son coup. Ça provoque une montée d'adrénaline qui se dissipe très vite. La préparation est le meilleur moment, pour moi comme pour tous les autres. On imagine le pire et on se fait peur tout seul. On effraie nos amis. On épate les filles.

Enfin, on espère.

Mais une fois l'exploit terminé, il ne reste rien. C'est pour ça qu'on se filme. Pour immortaliser notre «exploit». Sauf que, bien souvent, on passe pour des bozos. Les internautes nous voient trembler, rire bêtement, parader, nous planter. À quoi bon?

Je mérite mieux que ça.

Le plus important, comme pour tout, c'est d'avoir de l'imagination. S'inventer des défis qui ne coûtent rien et qui rapportent gros.

Comprends-moi bien : je n'agis pas pour l'argent. Je voudrais me faire peur, mais je n'y arrive pas.

J'avoue que je n'ai jamais vraiment eu la frousse. De quoi, d'ailleurs? De la mort? Même pas.

Je suis un adolescent, pas un pissou. Et je ne suis pas non plus en mode provocation. Je cherche ma voie.

J'ai besoin de pousser plus loin, voilà tout.

Ma période exhibitionniste est finie. Le regard des autres ne me suffit plus pour exister. J'ai envie de me sentir vivre plus fort. Ma mère dit que mon festival hormonal bat son plein.

Je ferme la porte de ma chambre. J'enlève mon chandail d'improvisation et je me parle droit dans les yeux, face au miroir.

— Tu comptes inventer quoi, maintenant?

Quand on voit sa peau, on comprend mieux sa fragilité. Sans barrière, sans se cacher.

J'ai dix-sept ans et j'ai l'impression d'avoir expérimenté tout ce qui était à ma portée. Je tourne en rond, mais comment rompre ce cercle quand on ne veut pas fuir ? Je ne veux pas me droguer bêtement. Je trouve ça trop facile. Je veux... Je veux quoi ?

J'essaie de lire mon chandail à l'envers dans le miroir. L'improvisation ne signifie plus rien.

C'est pourtant à elle que je m'en remets.

Je dois faire un truc inusité. Quelque chose qui me glacera vraiment.

Sauter à l'élastique ou en parachute ? Aucun risque.

Je crois que j'ai une meilleure idée. Je vais allier mes deux passions : les défis et l'improvisation. Je veux affronter une situation inconnue, mais pour de vrai cette fois-ci. Sans préparation. Sans une équipe pour me seconder. Sans filet. Tenter l'impossible, sans trucage.

Un seul joueur : moi. Le style est libre, mais le thème est imposé, et je ne le découvre qu'au dernier moment.

Par qui ?

Internet.

* * *

Il y a une semaine, j'ai lancé ma demande sur ma page Facebook. J'ai expliqué à mes 457 amis que j'étais prêt à relever un défi totalement inédit. J'ai reçu des dizaines de propositions farfelues ou irréalisables, aucune ne m'a séduit.

Jusqu'à ce que le message de Jules arrive. Enfin une idée qui semblait vraiment originale !

Je ne connaissais pas personnellement Jules. Il est ami avec plusieurs de mes amis d'impro. Je ne l'avais jamais rencontré non plus.

Il m'a invité à un mystérieux tour en voiture, sans en spécifier la teneur. « L'aventure est au coin de la rue », a-t-il ajouté. La sobriété de son approche m'a accroché. J'ai demandé des précisions, et il m'a promis que je ne devrais pas battre un record de vitesse ni d'habileté au volant. Je dois juste conduire avec lui à mes côtés. Il veut tester mon sang-froid et mes réflexes, mais j'ignore comment il compte s'y prendre. Je ne sais pas non plus si le fait qu'il m'accompagne devrait me rassurer ou pas.

Je l'ai appelé pour prendre rendez-vous. Au moment de raccrocher, je lui ai quand même demandé :

— Ce sera dangereux ?

— Ça dépendra de toi.

J'ai accepté.

On s'est rencontrés sur le stationnement d'un centre commercial dans l'est de la ville. Il a dix-huit ans et l'air normal. On a tout de suite sympathisé. On aime la même musique, les mêmes séries et l'improvisation. C'est déjà énorme.

Côté impro, il préfère écrire les petites cartes qui sont lues par l'arbitre au début de chaque jeu. Ça prend des types comme lui pour renouveler le genre. Il faut de l'imagination à chaque étape pour faire un bon spectacle.

On s'est fixé ce samedi pour mon défi. J'ai emprunté la voiture de mes parents. J'ai mon permis depuis un an, alors je peux conduire seul notre gros VUS Toyota rouge flambant neuf. Le genre de char laid qui ne passe pas inaperçu.

Je retrouve Jules à l'endroit où je l'ai vu la première fois. Il fume une cigarette, un petit sourire au coin des lèvres.

— T'es prêt ? me lance-t-il.

— Toujours. Comme les scouts.

— Tu peux encore changer d'avis, si tu veux.

On part.

Je ne sais pas où l'on va. C'est moi qui conduis. Jules est assis sur le siège passager. On l'appelait «la place du mort» avant de rendre le port de la ceinture de sécurité obligatoire. Justement, Jules me demande de bien m'attacher. Il fait de même.

Il semble détendu. Il cherche un poste de radio et s'arrête sur CHOM. Du rock pour les vieux. Mon père écoute ça. À force d'entendre les mêmes tounes quand il m'accompagne à mes matchs d'impro, j'ai fini par connaître tous les morceaux par cœur. Les années 1980 n'ont plus de secret pour moi.

Jules me fournit des indications au fur et à mesure qu'on avance. On a quitté l'autoroute 40 et on roule maintenant sur une grande route en pleine campagne. Ça manque de relief et il y a des champs de maïs à l'infini. De quoi dois-je me méfier? Un tracteur va-t-il débouler au milieu de la chaussée? Je transpire comme un cochon qui voit apparaître le couteau qui lui tranchera la gorge.

On s'arrête à une station-service pour acheter un café. Ça me fait du bien, même si je n'en montre rien. Jules allume une cigarette.

Il me donne une petite tape dans le dos, là où il y a écrit IMPROVISATION, en haut de mon chandail fétiche.

— Il faudrait que tu l'enlèves.

Je lui obéis sans discuter et on repart. C'est maintenant que ça va se jouer, je le sens. Moi au volant, torse nu, et lui qui s'amuse avec son briquet jetable. Mes parents ne fument pas. Si Jules veut se griller une clope dans la voiture, je serai obligé de le lui interdire. Sinon, je ne pourrai plus jamais emprunter le Toyota.

Je roule à la vitesse maximale autorisée, 90 km/h, même s'il ne m'a rien dit à ce sujet. Je commence à avoir les nerfs à bout. Qu'est-ce qu'il attend? On va où comme ça? Qu'est-ce je fous là, moi? Qu'est-ce qui m'a pris de faire confiance à ce mongol?

Il allume sans arrêt son briquet. Par provocation ou par habitude, car il n'a pas de cigarette aux lèvres.

Il n'y a plus que nous sur la petite route. Je serre le volant. Je n'ai pas peur, je vous le jure. Je suis juste tendu.

Impatient, aussi. Mais ça fait partie du jeu. Le suspense mène notre virée bizarre.

À la radio, un vieux tube de The Police commence à passer. Sting chante *Message in a bottle*. Ce n'est pas si pire, comme morceau. Jules coupe le son sans prévenir, au début du refrain, quand le chanteur dit le premier «*I'll send an SOS to the…*» La tension monte d'un cran dans le silence. Je déteste le silence.

Le prochain village est à 15 kilomètres. Le panneau croisé cinq minutes plus tôt indiquait Saint-je-ne-sais-quoi. Mon esprit ne peut se détacher de Jules.

Je lui jette un coup d'œil.

— Regarde devant toi!

Il étire les bras. La route est plate. Lui aussi doit trouver ça trop long. J'espère qu'il ne va pas s'endormir. Le paysage n'a pas changé depuis trente minutes. Monoculture, monochromie, monotonie. J'ai envie de bâiller.

Je vérifie mes rétroviseurs. Personne ne nous suit.

Rien ne me surprendra ici.

— Mets tes deux mains sur le volant à 10 h 10.

Il veut me donner un cours de sécurité ou quoi?

Qu'est-ce qu'il attend ? Qu'il me le jette à la face, son défi, ça fait une semaine que je m'y prépare. Ça fait six mois que je rêve de cet instant. *Go !*

Le silence me stresse et m'oppresse. Jules joue encore avec son briquet. Il le fait exprès, je le sais, pour m'agacer. Il allume, il éteint, et il recommence.

Et soudain, je le sens !

Ce con vient d'enflammer les poils sous mon bras droit. J'ai l'aisselle en feu ! Ça brûle. Ça pue. Ça fume. J'essaie d'éteindre en me frappant le flanc avec le bras. J'ai l'impression que ça continue à griller. Jules rallume son briquet en ricanant. Je lâche le volant de la main gauche et j'étouffe l'incendie pileux en tapant dessus. Je m'emmêle les pinceaux. Je veux revenir au 10 h 10, mais j'ai perdu le contrôle.

Le VUS traverse la route à 90 km/h. J'essaie de redresser, mais on va beaucoup trop vite. Les roues arrière partent dans une glissade qui semble durer une éternité. C'est le moment où l'on est censé voir toute sa vie défiler en accéléré, paraît-il. Moi, je ne vois que le maïs qui se rapproche. On va finir en pop corn. On achève notre tête-à-queue en empiétant sur le bas-côté de la route. Les graviers giclent dans tous les sens. Les pneus couinent. Je tourne le volant n'importe comment, en catastrophe, plus rien ne m'obéit. Je croyais que les VUS tenaient super bien la route. Mensonge ! La voiture saute, continue son mouvement circulaire, puis glisse dans le fossé, se retourne une fois, puis une autre. Ma tête cogne partout. Mes mains battent l'air. Mon épaule gauche est déchirée par la ceinture. Mes pieds frappent les pédales. Des coussins gonflables beiges viennent d'apparaître dans l'habitacle. On rebondit contre eux comme des pantins désarticulés qu'on aurait lancés du haut des chutes du Niagara. Les bruits de tôle froissée, de vitres explosées et de raclements en tout genre sont effroyables. Le cauchemar ne veut pas s'arrêter.

Et tout à coup, le Toyota achève son ultime glissade et s'immobilise. Un dernier épi s'abat sur le capot défoncé de la voiture. Comme par miracle, le VUS est retombé sur ses quatre roues.

Puis, le silence.

Je suis vivant.

— Jules?

— Ouais.

Jules aussi.

Ce qu'on vient de faire est profondément stupide, je le sais. J'ai eu la frousse de ma vie pour un défi ridicule. Oui, je l'avoue, cette fois-ci, j'ai eu vraiment peur. Je le sais, parce que j'ai quand même un peu pensé à ma mort. Et puis aussi parce que maintenant je tremble comme une feuille. Je grelotte.

Mais ce n'est pas le pire.

Jules remue sur son siège. Il lève la main, cherche mon bras, le presse faiblement.

— Tu sais…

Sa voix est pâteuse, lente. Je le laisse parler. Il achève enfin sa phrase :

— … t'es vraiment nul en impro.

Je n'ai pas envie de lui répondre.

La police va bientôt arriver. Ils vont nous questionner. Je leur dirai que j'ai perdu le contrôle de mon véhicule. Je ne comprends pas ce qui s'est passé. Je n'ai pas pris de drogue, je n'ai pas bu une goutte d'alcool. Ils peuvent vérifier.

J'ai juste embarqué un gars qui a enflammé mes poils d'aisselle pendant que je conduisais.

Non, je ne peux pas dire ça. Je passerais pour le roi des caves.

J'ai vraiment trop peur du ridicule.

Je vais simplement leur expliquer que j'ai raté mon improvisation.

CAMILLE BOUCHARD

La couleur des territoires

À dix-huit ans, on m'a dit : tu es un homme. À dix-huit ans, tu peux voter ou te saouler la gueule. Tu peux te marier ou envoyer chier tes parents. Et tout ça dans la même journée. À dix-huit ans, il n'y a plus personne qui peut t'empêcher de faire ce que tu as envie de faire.

C'est vraiment *buzzant* de ne plus dépendre de la volonté des vieux. Surtout de ceux qui t'empoisonnent la vie depuis l'enfance : ma mère et son *chum*, par exemple. Lui, il se prend pour mon père, parce que mon vrai paternel s'est fait exploser la tronche avec une balle de .45.

Ouais. C'est trippant, être adulte. Mais il faut tout assumer, par contre ! Nos décisions, nos gestes, tout. Du moins, c'est ce que m'a lancé la juge. Sauf que ce n'était pas exactement dans ces termes-là. Plutôt avec des expressions sucrées, genre : « enfance derrière soi, sens des responsabilités, etc. ». Et en prenant bien sûr un air irrité-peiné-résigné.

Il faut dire que la dose de meth que je m'étais envoyée avec les bières, un certain soir, m'avait empêché d'agir avec délicatesse. J'avais braqué un merdeux de Vietnamien derrière son tiroir-caisse avec un .45. L'arme, j'en avais hérité de mon paternel, justement. Les conséquences qui ont suivi étaient toutefois plus graves qu'une suspension d'une semaine à l'école. Quand j'ai dégrisé et que j'ai vu la cervelle du Vietnamien tapisser les cartouches de cigarettes, j'ai compris que j'étais dans la « chnoute » pas à peu près.

Et même là, j'étais loin de m'attendre à me retrouver dans l'un des pires pénitenciers de l'État de Californie.

— Faute de place ailleurs, tu iras à Salinas Valley.

Ouais, être adulte, c'est *buzzant*. Mais être détenu dans une prison pour adultes, ça l'est beaucoup moins.

J'allais l'apprendre.

* * *

— Plus de cellule disponible. Le centre pénitentiaire est archiplein. Comme c'est ta première visite, tu iras au dortoir.

La *screw*[1] qui me balance mon nouvel uniforme de prisonnier ne me regarde même pas.

---

1. Argot pour désigner un gardien de prison.

— Tu vas jurer, avec ta face de *Black* dans ce beau vête-
ment blanc, me dit le colosse qui me pousse derrière
la grille où je dois me déshabiller.

Il entre avec moi et met des gants de caoutchouc.
Pas question que je le laisse m'impressionner. Je réponds
à ce grand con:

— Toi aussi, t'es *Black*.

— Mais moi, j'ai pas à lutter contre les *Chicanos*[2] et les
faces blanches pour aller pisser.

Que veut-il dire? Je n'ose pas demander. J'aime mieux
faire celui qui est au-dessus de tout. Surtout que je suis
nu. On se sent petit quand on est nu.

Le colosse me palpe partout, histoire de s'assurer que
je ne cache rien. Satisfait, il balance mes vêtements dans
un sac pendant que j'enfile mon uniforme immaculé.
Puis, menottes aux poignets, je lui emboîte le pas jusqu'à
une aile des bâtiments à laquelle on accède après avoir
traversé un préau ensoleillé. Je continue à jouer les petits
durs que rien n'impressionne:

— C'est la cour de récréation?

— Tu vas vite comprendre que t'es plus à l'école, ici.

* * *

Quand la large porte s'ouvre, je suis accueilli par
d'autres *screws* dans leur uniforme kaki. Un plafond élevé

---

2. Mexicains.

supporte des lampes allumées. Au sommet des murs, des fenêtres étroites jettent sur nos têtes la lumière du dehors.

Des casiers et des lits superposés délimitent les zones de séjour. Ça fait comme des îlots de tôle. Tout autour, je vois les autres prisonniers qui observent mon arrivée. Ils sont… je ne sais pas combien. Des dizaines et des dizaines !

Ils s'attardent d'abord à la blancheur de mon uniforme, la preuve que je suis un nouveau. Eux, ils sont tous vêtus en bleu ciel. Mais la couleur qui commence à me faire perdre mon aplomb, ce n'est pas celle de leur habillement. C'est celle de leur peau.

Caramel ! Caramel latino. Ceux-là, je n'aime pas trop m'y frotter. Déjà que, dans la rue, on ne se mélange pas tellement les uns avec les autres. Plus loin, je distingue des Blancs ! Je suis surpris de constater à quel point la démarcation est précise entre les deux groupes ethniques. Plus encore que dans la rue. Et je n'aperçois toujours pas une seule face de *Black* comme la mienne !

J'ai beau jouer la meilleure comédie de ma vie, impossible de cacher que je commence sérieusement à avoir la chienne. Je bégaie comme un cave quand je demande :

— *Wh… wh… where my people are*[3] ?

Sans desserrer les lèvres, un *Chicano* lève un bras tatoué de l'épaule au poignet. De l'index, il désigne le fond de l'immense salle par-dessus les casiers voisins.

---

3. « Où sont les miens ? » Sous-entendre : « Ceux de mon groupe ethnique. »

Deux *screws* m'accompagnent tandis que je traverse le long passage entre les îlots de tôle. Une multitude de mines fermées me dévisagent.

Dans le secteur le plus reculé du dortoir, je reconnais enfin une tête comme la mienne : noire et crépue. Puis une deuxième. Puis une troisième…

— Content d'te voir, me lance le premier en m'accueillant de son poing contre mon poing.

— Enfin, une recrue ! rigole le deuxième.

S'il me restait des illusions, je les perds à cet instant. Nous sommes six au total ! Contre une centaine de peaux pâles.

— Bienvenue dans ton pire cauchemar ! confirme un troisième *Black*.

*   *   *

Mes voisins de couchette sont des compagnons acceptables. Sauf un, peut-être, plus fermé. Il s'appelle Gun. C'est un surnom, bien sûr.

Il s'est improvisé chef de notre bande. Peut-être parce qu'il a les épaules plus larges que n'importe lequel d'entre nous, mais ce n'est pas un costaud, loin de là.

Il y en a trois qui sont de taille moyenne, visage moyen et amabilité moyenne : Bernie, Nugget et Harper. Des gars comme j'en ai connu mille à l'école. Le dernier membre du groupe, le plus exubérant, se nomme Farto.

— Pourquoi tu t'appelles de même ?

— Devant le juge, à l'énoncé de ma sentence, j'ai pété[4]. J'ai pris trois mois de plus. Outrage au tribunal.

Il me donne une tape sur le bras pour m'inviter à le suivre.

— Viens, j'te montre comment ça fonctionne ici.

Farto m'entraîne à la tête de nos couchettes, sur le passage qui sépare notre section de celle des Blancs. Des visages fermés nous observent, lèvres scellées, regards acides. J'ai beau me dire qu'ils cherchent à nous intimider, j'avoue que leurs sales gueules me font flipper.

— Dépasse pas le centre, m'avise Farto en chuchotant. C'est leur territoire, aux *Whities*[5]. Tu vois ? Tant que tu te limites à la moitié du passage, c'est bon. Dépasse la ligne d'un seul pied, c'est comme envahir un autre pays : ce sera la guerre.

Farto se tourne vers trois Blancs qui nous fixent en silence et il demande :

— On peut passer devant vos couchettes, les gars ? C'est pour se rendre aux douches. Je fais visiter la place au nouveau.

Un des trois types hésite pour la forme, puis acquiesce d'un signe de tête.

---

4. Du mot anglais *fart*, « pet ».
5. « Blancs ». Terme péjoratif.

— Regarde-les pas dans les yeux, me prévient Farto. *Fuck !* C'est considéré comme une menace.

Je baisse rapidement le nez. Quelle merde, la trouille de Farto ! J'avais déjà du mal à gérer la mienne ! Je suis maintenant incapable de reprendre mon air de «j'ai-peur-de-rien-donc-sacrez-moi-patience».

À mesure que nous nous éloignons de nos couchettes, je fais un rapide examen du dortoir. Il y a des caméras dans les angles du plafond. À partir de passerelles surélevées et grillagées, les *screws* peuvent nous mitrailler en cas de bagarre. Des lampes au néon sont fixées aux murs. Les tables en métal qui meublent un coin sont coulées d'une seule pièce au plancher. Pareil pour les bancs. Trois téléviseurs sont suspendus au-dessus des têtes, mais trop loin pour que nous puissions les regarder à partir de notre secteur de *Blacks*.

Je compte une dizaine de couchettes superposées pour les Blancs. Ils sont donc une vingtaine au total. En cas de mêlée générale ou de guerre de territoires, même en nous alliant à eux, nous serions toujours quatre fois moins nombreux que les Latinos.

Nous arrivons dans leur zone, justement. Leur mine est encore moins accueillante que celle des *Whities*.

— Je fais visiter la place au nouveau, répète Farto. On peut se rendre aux douches et aux toilettes ?

Un colosse s'avance. Je m'empresse de baisser les yeux. Il porte une camisole blanche serrée dans son pantalon bleu ciel. Il fait de la musculation, ça, pas de doute. Même Terminator aurait l'air d'une tapette à côté.

— Y connaît l'tarif, l'nouveau ?

Sa voix m'apparaît comme un moteur de camion au ralenti. Un grondement sourd qui ne demande qu'à démontrer sa puissance.

— Euh... non, j'ai pas encore... hésite Farto.

— Y peut payer en cigarettes, coupons de cantine, boissons gazeuses ou *cash*. À son goût. S'y a d'la dope, c'est encore mieux. On fait crédit, mais avec intérêts. Tu vas bien lui expliquer les conséquences de pas payer à temps, au nouveau, *¿verdad*[6] ? On veut bien accommoder les gens, mais y a des limites. On n'est pas l'Armée du Salut. La nuit, interdit de passer. Pas question d'risquer qu'un des nôtres s'fasse piquer[7] par un *Black* ou un *Whity* qui fait semblant d'aller se soulager.

— J'vais lui montrer les bouteilles pour pisser la nuit.

Je n'ose pas demander ce qui se passerait si j'attrapais une chiasse à deux heures du matin.

— Pour la première visite, c'est gratuit, reprend le *Chicano*. Cadeau de la maison.

---

6. « Vérité ». Les Mexicains l'emploient dans le sens de « n'est-ce pas ? ».
7. « Poignarder ».

— Merci, réplique Farto.

Lui et moi pénétrons dans le territoire des Latinos, sous les regards malveillants. Nous atteignons enfin le secteur des toilettes et des douches.

— Bon, nous autres, on peut utiliser le bol ici et celui-là. Pas plus. Si on est plus que deux à avoir envie, faut faire la queue. Pareil pour les lavabos, ici, et pour les douches là et là.

Sans trop d'illusions, je demande :

— Même si les autres à côté sont libres ?

— Tu pourrais hériter d'un coup d'poignard pour une connerie de ce genre-là.

Je ris avec une grimace méprisante. Loin des Latinos et des Blancs, je reprends un peu de tonus. Je retrouve mon personnage de gars insolent :

— Me semble, oui... Et le poignard, il viendrait d'où ?

Au lieu de me retourner une expression irritée ou impatiente, Farto me jette plutôt un regard désespéré :

— T'as pas idée des armes qui se cachent ici !

* * *

Je me demande si les règles territoriales établies à Salinas Valley sont là pour exercer le pouvoir et l'extorsion ou dans un but de protection. Pour repousser la peur. Parce que cette foutue trouille, elle est présente partout. Tout le temps.

J'apprends à la reconnaître dans mes traits que me renvoie le miroir, et dans ma sueur aussi. Mes aisselles puent une odeur que je ne leur connais pas. Tout le dortoir, d'ailleurs, empeste.

Dans la cour, pendant nos sorties quotidiennes, le même respect des territoires s'applique. Chaque zone du terrain appartient à un groupe ethnique. Traverser la ligne imaginaire qui sert de démarcation, c'est la bagarre assurée.

Comme maintenant.

Sauf que je n'ai rien vu venir. Je ne sais pas ce qui s'est passé.

J'observais le vautour qui planait au loin, au-dessus des collines sèches.

— *Fuck! Fuck! Fuck!* Harper se fait taper dessus ! s'énerve Nugget. *Shit!* Les gars ! Faut y aller !

Mais le temps que je comprenne que Nugget, Farto, Bernie et Gun foncent déjà dans la mêlée, je suis coupé des autres par un mur de bras tatoués. Une grosse main aux jointures cornées se prépare à m'en mettre plein la tronche.

Mais heureusement pour moi, les *screws* interviennent. En fait, il y a d'abord un coup de semonce tiré par l'un des guetteurs à partir des guérites entourant la cour. Pas de bêtise, on est bien avertis : le deuxième tir n'est jamais pour rigoler.

Les Latinos le savent aussi, car ils se figent devant moi. Entre les dos et les torses massifs de ces amateurs de musculation, je distingue les gardes armés de poivre de Cayenne et de fusils à pompe qui se fraient un chemin.

— Par terre! hurlent-ils à tour de rôle en pointant le canon de leur feu à gauche et à droite.

— Couchez-vous sur vos putains de ventres!

— Et les mains sur la tête!

— Allez, allez! Plus vite que ça!

Je m'exécute en même temps que les *Chicanos* devant moi. Je remarque que les groupes sont pas mal mélangés. Il y a un roux étendu entre deux colosses bardés de symboles de la mafia mexicaine. Je reconnais aussi Bernie, épaule contre épaule avec un Blanc. Je distingue Harper au centre d'une bande de Latinos qui...

Sainte merde! Harper!

On dirait qu'il flotte sur un lac de sang. Quand un *screw* le retourne, je discerne ses yeux fixes et la plaie béante à sa gorge.

— La récréation est finie, marmonne un tatoué à ma droite.

Fuck! Tu parles d'une récréation! Le garde qui m'a escorté à mon arrivée avait raison: on est loin de l'école, ici.

Je n'ai pas fini d'empester le dortoir avec ma peur.

* * *

— On lui a fait le coup de la chocolatine, à notre frère, chuchote Farto, rendu au soir, après avoir été ramenés à nos couchettes.

Il caresse sa mâchoire d'une main. Il paraît qu'il a mangé deux ou trois baffes en cherchant à intervenir dans la cour. Pareil pour les autres. Nugget a un pansement au-dessus de l'œil, Bernie se masse les côtes à tout bout de champ. Gun a refusé d'aller à l'infirmerie pour une plaie sur la joue. Les gardiens ont jugé que ce n'était pas grave et n'ont pas insisté.

Ce gars-là, il n'a pas desserré les lèvres depuis l'échauffourée. J'avoue qu'il me fout un peu la chienne. Même s'il fait partie de mon groupe. J'aime mieux l'éviter. Éviter de lui parler. Éviter même de le regarder.

Comme j'évite de regarder la couchette vide de Harper.

Je ne remarque pas tout de suite que Farto me fixe. L'un des néons au mur est directement dans son dos, et le contre-jour me masque ses traits. Je suppose qu'il attend que je réplique quelque chose à ce qu'il a dit plus tôt. Je dois faire un effort de mémoire avant de parvenir à m'en souvenir. Je lui demande enfin :

— C'est quoi, la chocolatine ?

Il répond dans la seconde, preuve qu'il attendait bien que je pose la question :

— Un poignard fabriqué maison et caché dans l'anus.

— C'est pour ça qu'on dit « chocolatine » ?

— C'est surtout parce qu'on le nettoie pas. Comme ça, si le coup est pas mortel, l'infection fera le reste.

— Et l'arme? On la fabrique avec quoi?

— Avec une…

«Extinction des feux dans cinq minutes!» résonne le haut-parleur du dortoir.

— Une brosse à dents, par exemple, reprend Farto, comme s'il n'avait pas été interrompu. Une fois le manche limé en pointe, c'est efficace.

— Dis pas de connerie, intervient Bernie. Harper s'est vidé de son sang d'un coup. On lui a coupé la carotide. Ça prend une vraie lame pour ça.

— Et un peu de chance! précise Nugget. Je veux dire, pour le tueur.

— Peut-être, fait Bernie. Mais c'était pas une pointe, c'était un tranchant.

Je demande:

— Pourquoi ils l'ont piqué, Harper?

— Dette de drogue, répond Bernie.

— Non, fait Nugget. Il a manqué de respect à un *Chicano*. Je pense qu'il l'a pas salué correct, la semaine passée, en allant pisser.

— *Muthafuckas!* marmonne Farto.

Je sursaute presque lorsque j'entends soudain la voix grave de Gun.

— Y a pire, déclare-t-il.

C'est bien la première fois depuis des heures qu'il se décide à parler. En plus, on dirait qu'il garde les dents serrées comme s'il n'arrivait pas à dérager.

— Y a pire qu'un *Chicano* qui tue un *Black* parce qu'y a manqué de respect. Moi, c'que j'peux pas supporter, c'est le gars qui vient pas en aide à ses potes quand la bataille éclate.

Les lumières s'éteignent et je sursaute de nouveau. Mais pas à cause de la pénombre soudaine. C'est que, juste avant l'obscurité, je constate quelque chose d'effrayant.

Tous les regards des *Blacks* sont fixés sur moi.

Tous.

* * *

On ne peut plus discuter entre nous une fois les lumières éteintes. Perturber le sommeil des Latinos ou des Blancs, c'est comme demander à recevoir une raclée.

Alors, je me défendrai demain. J'expliquerai que, si j'avais pu, je n'aurais pas permis non plus qu'on touche à Harper.

Je mets du temps à m'endormir. Et je ne sais trop l'heure qu'il est lorsque, bien plongé dans un rêve, je commence à suffoquer. Je me réveille en étouffant pour de vrai. Mais pas complètement non plus. Parce que la main posée sur ma bouche et le pouce appuyé sur une de mes narines ne cherchent pas à m'asphyxier. Juste à m'empêcher de crier.

— T'as intérêt à garder ta petite gueule bien fermée.

C'est la voix de Gun. Je sens ses lèvres contre mon oreille. Sa paume m'écrase le visage. Je perçois aussi deux autres mains qui me retiennent le bras droit et deux de plus, le gauche.

— T'as pas respecté la principale règle des gangs, trouillard. On ne manque jamais, jamais d'accourir quand un copain est dans la merde.

Je veux répliquer que ce n'était pas possible, que les Latinos m'ont tout de suite repéré et arrêté, mais la main de Gun s'appuie fort sur ma bouche.

— Viens pas me dire que t'as eu un empêchement, poursuit Gun comme s'il avait lu dans mes pensées. T'as pas dû faire grand effort. T'as même pas un petit bleu ou une égratignure.

En dépit de ma respiration à moitié coupée, je manque de hurler à pleins poumons. Une douleur atroce me transperce le biceps droit.

Je cambre les reins et remue les jambes. Le poids d'un de mes codétenus m'empêche de gigoter davantage, et c'est tant mieux, car déjà mes mouvements agitent le lit. Ça fait pas mal de bruit. Qui sait ce qui nous attend si on trouble un peu trop le repos des *Chicanos* ?

La douleur qui m'a traversé pendant plusieurs secondes est si forte que je mets un long moment avant de constater que je suis de nouveau tout seul sur mon matelas. Les gars ont regagné leur couchette.

Je prends le temps de retrouver une respiration normale, de laisser l'air entrer et sortir à volonté. Je tiens la main gauche sur mon biceps blessé. La douleur reste lancinante, mais tolérable. Que m'ont-ils fait? Qu'est-ce que ce salaud de Gun m'a fait?

La lumière qui sert de veilleuse au dortoir est trop faible pour me permettre de distinguer quoi que ce soit. Mais je ne détecte pas de sang, pas d'odeur particulière.

J'attends.

J'ai peur de me rendormir.

Et s'ils décidaient de recommencer?

À force de me répéter qu'il n'y aurait aucune raison, je finis par sombrer dans un sommeil agité et léger. Le moindre toussotement, le moindre glissement de drap me font sursauter, mais je parviens tout de même à me rendre jusqu'aux premières lueurs de l'aube sans devenir fou.

Au centre de mon biceps, une boursouflure surmontée d'un point rouge s'avère sensible. Je grimace en la caressant du pouce. Que m'ont-ils…?

Là! À deux doigts de mon nez, abandonnée sur le coin du matelas, il y a une seringue!

Enfin... un truc avec l'apparence d'une seringue. Il s'agit du tube d'encre d'un stylo à pointe ultra-fine qu'on a lié avec du ruban adhésif à l'extrémité d'une buse en plastique comme on en trouve sur les pistolets à calfeutrer. En d'autres circonstances, je me serais émerveillé de l'ingéniosité du concepteur.

— Qu'est-ce que vous m'avez injecté ?

Je me suis exclamé un peu fort, car j'ai droit à des regards agacés du côté des Blancs. Je répète, un ton plus bas :

— Qu'est-ce que vous m'avez injecté ?

Mais tous les *Blacks* semblent plongés dans le plus profond des sommeils.

Je sens la sueur perler sur mon corps. Je commence à m'agiter un peu trop autour de ma couchette :

— Quelle dope vous m'avez foutue dans les veines ?

C'est la voix grave de Gun qui me répond tout à coup :

— Y avait rien dans le tube. Calme-toi. Y a même pas d'piston.

— Mais alors... quoi ? Pourquoi ?

— C'est la seringue personnelle de Gun, chuchote Farto. Fabriquée par lui-même, en plus. C'est un beau cadeau.

— Ouais, garde-la en souvenir, ajoute Gun. Rappelle-toi que c'est sacré d'aider un copain dans la merde. Que ceux qui manquent à leur devoir sont punis sévèrement.

Il y a trois ou quatre secondes de silence avant que Nugget précise, sans sortir de sous ses draps :

— Très sévèrement.

Je demande :

— Vous voulez dire que... que je m'en tire bien.

— Pour les circonstances, réplique Nugget.

— Mais pas tant que ça non plus, dément Farto.

— Tu paies quand même quelque chose, fait Bernie.

— Qu... quoi ? Qu'est-ce que je paie ?

La réponse à ma question prend tellement de temps à venir que je suis sur le point de répéter quand, finalement, Farto dit :

— Gun a le sida et deux hépatites.

DÏANA BÉLICE

Le sacrifice de l'*Haïchienne*

Couchée dans mon lit, les bras croisés derrière la tête, je fixe le plafond. J'ai fait un drôle de rêve, cette nuit. Je ne pourrais pas le raconter en détail, mais ce matin, en me réveillant, il laisse planer dans ma tête un drôle de sentiment, qui vacille entre l'écœurement et la lassitude. D'après cette impression, je dirais qu'il devait sans aucun doute porter sur ma pathétique vie et sur les complications qui lui sont propres.

En me tournant sur le côté pour ensuite glisser mes mains jointes sous ma tête, je me dis que je donnerais tout pour être une autre. Et puis bon, pourquoi ne pas tenter ma chance ? Je n'ai rien à perdre, après tout. Je plisse fermement les paupières et souhaite que ce soit le cas. Que je ne sois plus moi, que je sois ailleurs, que ma vie soit meilleure. Lorsque je rouvre les yeux, prudente, c'est la déception. J'ai beau le faire cent fois, je me trouve toujours au même endroit et je suis toujours habitée par le même sentiment de vide. Quelle merde !

Je pousse une longue expiration en me décrivant mentalement la journée qui m'attend. Franchement, elle n'a rien de différent des autres. Aujourd'hui, je vais passer mon temps à espérer que personne ne me remarque, parce que je veux à tout prix éviter les railleries. Mais cachée dans mon coin, honteuse, je vais les contempler, les envier. M'imaginer qu'ils se meuvent au ralenti et ne pas manquer une seule seconde de leur bonheur. Jalouser la facilité de leur existence aux couleurs pastel pendant que moi, je traîne mon nuage noir et mes différents tons de bruns. C'est pathétique. Je sais.

Un autre soupir. Quelquefois, j'ai envie d'ouvrir les grandes voiles, sans regarder en arrière. Mais ce n'est pas possible. Ce sort est le mien et je ne pourrai jamais m'en défaire, même si je possédais, concentrée entre mes doigts, toute la magie du monde. Ouais. Je peux bien continuer de rêver.

Si ce n'était pas encore une certitude pour toi, je suis noire. Plus précisément, une Noire, québécoise, d'origine haïtienne. Parfois, pour faire encore plus dramatique, je dis que je suis *haïchienne*. Oui, tu as bien compris. Habilement, j'ai fait l'amalgame des mots « haïtien » et « chien ». Parce que franchement on ne me traite guère mieux que la race canine.

— Kiskeya! *Eske ou binyin deja?* me demande ma mère de l'autre côté de la porte, sur un ton pressé, blasé et irrité, alors que la journée vient à peine de commencer.

Tu t'interroges sur le premier terme de la phrase ? Mon drôle de prénom, que tout le monde a de la difficulté à dire correctement. Juste pour te donner un coup de pouce, ça se prononce : Kiss-qué-ya. Je le changerais bien pour Valérie ou Mélanie, mais je pense que je vais faire avec.

Maman me demande si j'ai déjà pris ma douche. Mes yeux se focalisent finalement sur les chiffres rouges qui s'égrainent tranquillement, sans stress, sur mon réveille-matin : 7 h 27. Si je ne me lève pas maintenant, au lieu de me faire ces discours mentaux inutiles, je vais être en retard à l'école. Mais ce serait peut-être une bonne chose, après tout ? Et puis, tant qu'à être en retard, je pourrais aussi bien feindre une douleur atroce qui m'empêcherait de me lever, de marcher ou de respirer. Je suis loin d'avoir envie de me farcir le regard des autres. On a beau être des milliers dans cette jungle luxuriante qu'on appelle une école, je suis certaine que chacun d'entre nous trouve le moyen de se sentir singularisé, affreusement seul. Si ce n'est pas parce que les gens de ta nationalité sont considérés comme étant « une bande de voleurs, de paresseux et de menteurs, qui puent l'huile à frire », tu es « le musulman qui va se faire exploser dans un coin pour tuer tout le monde ». C'est con, mais c'est comme ça.

Si le racisme était autrefois une manière de proclamer sa supériorité sur l'autre, aujourd'hui, les termes « Négresse », « Paki » et autres du même genre existent principalement pour faire chier son prochain. Tant qu'à le niaiser, autant le faire avec quelque chose qui l'atteint directement dans ce qu'il est, sans avoir à creuser trop loin. Ainsi, les «Bamboula» et compagnie, c'est mon train-train quotidien et mon petit pain chaud de tous les jours dont je raffole. C'est dire que les insultes de mes camarades de classe, je les mange dans leur face, à grandes bouchées et à belles dents, et je fais comme si j'adorais ça. On s'entend, ce sont des mensonges. Plutôt ça que de leur laisser croire que leurs méchancetés m'atteignent.

Des fois, je me dis que je devrais en faire plus. Mais qu'est-ce qu'on peut faire contre l'imbécillité humaine ? N'y a-t-il pas une expression qui dit : «Con un jour, con toujours» ? Si ce n'est pas le cas, je vais m'arranger pour la faire accepter par qui de droit. Et je suis prête à en faire tout un plat pour quiconque trouvera que c'est ridicule !

Je pousse une longue expiration, en me rappelant que ma mère, derrière la porte de ma chambre, attend toujours une réponse :

— Oui, *manman*, je me dépêche.

À peine sortie du lit, j'entends ses pas s'éloigner. Je me faufile dans le couloir sombre pour aller prendre une douche rapide. Très rapide, même, parce que je dois aller rejoindre Énaëlle, ma meilleure amie. Tous les jours, nous faisons ensemble la marche d'une vingtaine de minutes qui nous sépare de l'école. Ça, c'est lorsqu'on ne se fait pas achaler par des garçons en chemin. Et vu l'heure, j'espère vraiment que tout se déroulera sans anicroche.

Fin prête, je vais rejoindre ma mère. Même s'il est encore tôt, elle a déjà commencé à faire tourner le ventilateur. Une chaleur humide et écrasante règne dans tout l'appartement. La fenêtre de la cuisine grande ouverte fait à peine disparaître l'odeur de poisson frit d'hier soir. Je me surprends à espérer que mes vêtements n'en soient pas imbibés. Sinon, je vais encore donner aux autres une raison de croire qu'on est vraiment juste des mangeurs de friture.

Pour éviter que les odeurs aient le temps de s'accrocher, j'embrasse ma mère rapidement sur la joue et prends ensuite la porte.

Dès que je pose le pied à l'extérieur, des sensations familières m'envahissent. Les arômes, les sons, même les écureuils qui fouillent dans les poubelles me rappellent un souvenir quelconque. Saisissant les courroies de mon sac à dos, je fais un tour sur moi-même puis je m'engage dans l'allée qui mène au trottoir. Je pousse la petite barrière de métal rouillé qui ne tient presque plus en place.

D'un côté de la rue, des immeubles d'appartements et, de l'autre, une longue rangée de commerces encerclent le théâtre sauvage de ma vie. Dans cet espace, on ne voit pas passer que des voitures. Dans mon tout petit bout de pays, le bitume usé est tous les jours témoin des voisins qui se disputent, des enfants qui jouent au ballon ou des jeunes de mon âge qui apprennent assidûment les rudiments de la vie de gangster. Je considère cet endroit ni plus ni moins comme l'entrée de la jungle de la vie dans laquelle je survis à peine.

Comme je l'espérais, quelques pas plus loin, sous un soleil de plomb faisant reluire ses cheveux d'ébène qu'elle a couverts d'une épaisse pommade nourrissante, Énaëlle m'attend. Je me poste à côté d'elle, mais c'est à peine si elle réalise ma présence. Son attention est ailleurs.

— Salut, Énaëlle! On y va?

Elle ne me répond pas. Je la secoue en posant la main sur son épaule, mais mon amie ne bronche pas. Je décide donc de suivre son regard et là, je comprends un peu mieux ce qui la méduse autant.

Plusieurs voitures de police sont garées de manière aléatoire dans la rue et par-dessus les bordures de trottoir. Sur le coup, je trouve que c'est une mascarade bien imposante, peu importe ce qui se passe là. Je hausse les épaules en signe de détachement, lève les yeux au ciel en signe d'écœurement. Je ne comprends pas pourquoi Énaëlle en fait tout un plat. Dans notre quartier, des démonstrations du genre, c'est la routine.

Et pourtant, une vague de colère déferle sur les parois de mon corps, que je croyais immunisé à ce genre de spectacle de mauvais goût, qu'on pourrait très bien retrouver aux nouvelles du soir. C'est encore pire lorsque je réalise qu'il s'agit d'un gars qui fréquente mon école et qu'en plus, il est noir. Évidemment. C'est à cause de personnes comme lui qu'on nous appose des étiquettes du genre : « Les Noirs, c'est bon juste à foutre le trouble. » Par sa faute, monsieur et madame Tout-le-Monde auront une preuve de plus que nous ne sommes que des bons à rien. Franchement, une preuve de plus pour moi aussi, qui sens tout à coup l'urgence de lui coller deux ou trois baffes, à ce débile. À cause de lui, je ne serai jamais mieux que noire.

— Allô ? lancé-je à mon amie en lui faisant de grands signes pour la faire sortir de sa léthargie.

— Attends ! Il se passe quelque chose ! dit-elle en chassant distraitement ma main, comme si j'étais un vulgaire moustique qui la dérangeait.

Je pousse un soupir d'agacement.

— Franchement, je ne vois pas pourquoi tu t'obstines à trouver constamment des preuves que la communauté noire fait dur ! Allez, viens, on va être en retard !

— Patiente un peu ! On le connaît ! Je veux savoir ce qui va se passer ! Et tu devrais arrêter de nous reléguer au rôle de communauté déchue ! On n'est pas si pire que ça !

— OK, Énaëlle ! T'es sérieusement en train de me dire ça, alors que l'un des *nôtres* va bientôt se faire embarquer ?

Agacée, j'agrippe mon amie par l'avant-bras et la traîne en périphérie du spectacle, qui gagne de plus en plus en décibels. Alors que je suis presque rendue au coin de la rue, je me fais arrêter dans ma lancée par une policière à l'air coincé.

— Tu ne peux pas passer, me dit-elle.

— Mais je vais être en retard à l'école! fulminé-je.

— Désolée, y a un périmètre de sécurité! conclut-elle sur un ton sans équivoque.

Elle me fait bêtement signe de reculer et s'assure ensuite de me barrer le passage, tout en posant la main à la ceinture, sur son arme. Encore une fois, je roule les yeux. Non, mais, elle s'attend à quoi, exactement? À ce que la fille de quatorze ans que je suis attrape son *gun* et l'oblige à dégager la route pour qu'elle puisse enfin se rendre à l'école? N'importe quoi!

Je n'ai d'autre choix que de prendre conscience que dans notre petit coin de quartier, ce matin, il se produit quelque chose de sérieux. Sinon, on nous laisserait circuler comme bon nous semble. Forcée à rester sur place, je décide de faire comme mon amie et de jouer les voyeuses.

— J'ai rien fait! vocifère le garçon. C'est quoi ton problème? Pourquoi tu viens sur moi comme ça, là, pour imposer ta loi? J'fais juste marcher, *yo*! J'm'en vais à l'école, *man*! C'est parce que j'suis *black*? Tu te prends pour qui?

D'ici, je peux voir les grosses gouttes de sueur qui coulent le long de son visage. Presque immédiatement, je suis prise d'un malaise. On dirait que c'est toujours pire lorsque la personne qui est transformée en bête de foire est quelqu'un qu'on a l'habitude de côtoyer. Le jeune regarde autour de lui et il semble nous demander de lui venir en aide, de le prendre en pitié. Mais même si nous voulions faire quelque chose, ce serait impossible. En tout cas, c'est ce que tout le monde croit. Que se passerait-il si l'un de nous tentait sa chance ? On lui tirerait dessus ?

— On veut juste faire des vérifications, dit le policier en face de lui, sur un ton calme mais autoritaire, une main tendue devant lui, pour l'apaiser. Tu fais juste te tirer dans le pied, mon gars, en refusant d'obtempérer. Viens tout simplement avec nous, et il n'y aura pas de problèmes !

— Non !

Les sourcils froncés d'inquiétude, je me pose des questions. Qu'est-ce qui a bien pu faire en sorte que l'événement à la base de cette mascarade prenne une telle ampleur ? Dans l'atmosphère, la tension est à son comble, palpable. Ça me donne un sale frisson.

Autour de moi, les gens y vont de leurs prédictions sur l'issue de l'acte principal. À ma gauche, deux femmes serrent leur sac à main contre leur flanc en disant :

— Eille, j'te dis ! Y a pas moyen d'être tranquilles, icitte ! Ces maudits Noirs sont pas capables de se trouver des *jobs* comme tout le monde ! À la place de vivre comme nous autres, ils volent ! J'ai ben trop peur de sortir le soir, maintenant !

— Pis moi, tu penses! Une chance que j'ai mon pitbull! Sinon, je dormirais pas la nuit! Avec toutes les races dans le quartier, on peut pas se permettre de prendre des risques!

Je voudrais leur répliquer quelque chose, à ces vieilles mégères ignorantes, mais un père de famille bien connu dans le quadrilatère y va lui aussi de son commentaire:

— Oh, oh! Tu vois? Ils ont tous quelque chose contre nous! Si c'était un Blanc, ça n'aurait jamais fait toute cette histoire! Une chance qu'il y a quelqu'un qui filme, hein! Je vous le dis! Je vais lui dire de l'envoyer à un réseau de télévision, sa vidéo! Y a personne qui va faire croire à tout le monde qu'on est juste une bande de mauvaises personnes, ici!

La pression continue de monter. Tout d'un coup, dans la foule massée autour de l'incident, j'entends des cris, des exclamations de surprise. À côté de moi, Énaëlle pose la main sur la bouche. En un instant, c'est comme si tout le monde était devenu un prédateur potentiel. Les policiers se mettent à crier, fléchissent les genoux et adoptent une position d'attaque, en demandant à tout le monde de reculer. Devant moi, ceux qui ont peur s'enfuient tout simplement. Et c'est peut-être intelligent de leur part, car lorsqu'un trou se crée juste en face de moi, je comprends finalement ce qui les alarme tant.

Le jeune garçon a la main tendue devant lui, aussi droite que le tronc d'un grand baobab africain. Et lorsque des yeux je suis le prolongement de son bras, pulsé de veines ardentes qui pompent le sang dans son corps à une vitesse extraordinaire, j'ai l'impression que, tout à coup, il s'est mis à jouer au brigand. Je jurerais que sa main est placée en forme de fusil. Comme on le fait dans nos jeux d'enfants. Par contre, je réalise bien assez vite que le chrome étincelant et parfaitement poli que je distingue ne peut faire partie de lui. C'est une arme. Une vraie de vraie. Toute petite, mais ô combien menaçante entre ses doigts crispés de peur et de nervosité !

Les yeux du garçon sont sortis de ses orbites. De côté, à le regarder comme ça, on peut facilement le comparer à un animal effrayé qui ne veut pas se faire attraper par la bande de panthères affamées qui s'avancent douce-ment sur lui. Alors, pour les prévenir, pour leur faire comprendre qu'il n'hésitera pas une seconde à lancer les hostilités, il sort les dents, blanches et droites, qui fendent l'air en guise d'avertissement.

Même s'il ne le sait pas, il a perdu d'avance. Ils sont bien trop nombreux et bientôt, ils vont lui sauter au cou et le lui rompre. Il ne respirera plus. Il va mourir. Mon cœur se met à battre la chamade dans ma poitrine. Je suis là, séparée de lui par un ruisseau d'asphalte grisâtre qu'on m'empêche de traverser, et je ne peux pas l'aider. Bien que je le considère comme fou, stupide et stigmatisant pour nous tous, j'ai envie de lui venir en aide. Avec toute la franchise dont je suis capable, je veux lui dire de laisser tomber, car peu importe ce qu'il a fait ou pas, il est perdant. La peur est celle qui ressort gagnante de cette drôle d'aventure, dans mon petit quartier paumé. Celle qui dicte que *le Noir*, peu importe la situation, est en faute.

Au cœur du brouhaha incessant, quelque chose dans l'environnement attire mon oreille. Le cri strident d'une personne qui a peur. Pas pour le jeune garçon. Mais bien pour *elle*. Lorsque je tourne la tête, je réalise qu'une femme hurle au bout de ses poumons. Elle braille pour expliquer au policier qui la retient fermement qu'il doit la laisser traverser le périmètre de sécurité parce que son enfant, l'espace de quelques secondes à peine, lui a échappé et court tout droit dans la gueule du loup.

— J'vous le dis, avancez pas, *man*! J'vais tirer! aboie le garçon.

— Lâche ton *gun*! Lâche ton *gun*, j'ai dit! lui réplique le policier, l'arme en joue, pointée sur lui.

Au milieu de tout cela, personne ne voit, haut comme trois pommes, l'enfant innocent qui marche d'un pas incertain, amusé par les drôles de jeux de ses aînés. En un instant, je me sens prise d'une urgence. Il faut que je fasse quelque chose, l'enfant est en danger.

Sans même réfléchir, je repousse la policière qui comme un aigle surveille la scène, protégeant ses frères d'armes. Cette fois, j'ai décidé d'être une négresse. Parce que la négresse, malgré les coups durs, malgré la peur, malgré la honte, elle a survécu et fait foisonner des petits êtres comme elle, en espérant qu'ils soient forts, eux aussi, un jour. Alors, là, je suis négresse.

— Kiskeya! Non!

Derrière moi, dans un écho lointain, mon amie veut m'éviter de commettre l'irréparable. Je me retourne et la regarde du coin de l'œil. Je sens mon visage marqué par une peur sans nom, mais aussi par un courage que je ne me connaissais pas. Lorsque mes yeux se posent sur le petit enfant, je réalise qu'il est déjà dans les bras d'un policier qui l'amène en lieu sûr.

Mes yeux s'écarquillent. Oh non! Vont-ils comprendre ce que je voulais faire? Que tout comme eux, mon intention était louable?

Je m'arrête et j'ai l'impression que mes talons s'enfoncent dans la chaussée afin de me stopper dans ma lancée quand...

* * *

Hé! Toi! Oui, toi! Tu veux bien cesser de braquer cette lumière sur mon visage? Ce n'est vraiment pas agréable pour les yeux!

— Son pouls descend drastiquement!

Énaëlle? Énaëlle! Tu veux bien dire à ma mère d'arrêter de pleurer? J'ai mal à la tête. Et qu'est-ce qu'elle a, d'ailleurs? Pourquoi est-elle couverte de sang? Oh! Oui, ça me revient! C'était juste avant que le gars de mon école se tourne dans ma direction. Pendant un instant, il a semblé avoir peur, comme si quelque chose l'avait pris par surprise. Puis il y a eu une déflagration et son visage s'est embrasé d'une stupeur qui a tôt fait de se transformer en un immense regret. On aurait dit qu'il venait de faire la pire gaffe du monde. Je n'ai pas compris pourquoi, mais ça m'a donné tout un frisson. Tout à coup, j'ai eu l'impression d'avoir assisté à un événement d'une grande importance.

— Chargez le défibrillateur à 200 !

Ça m'horripile au point que la colère envahit ma tête et que je ne vois plus clair. Mais je réussis quand même à glisser une idée dans un tiroir de mon cerveau. Je la garde pour tout à l'heure. Il faut que je trouve un moyen de faire cesser les spectacles comme celui de ce matin. Ça n'a pas de sens, tout ça !

— Chargez à 300 !

Ça, c'est si je trouve le combiné qui n'est pas posé sur sa base et qui émet cette tonalité continue vraiment agaçante.

— OK. On arrête. Il n'y a plus rien à faire. Heure du décès : 8 h 30.

ÉLIZABETH TURGEON

Ma carpe de fête !

Entre les lattes du store entrouvert de ma chambre, le soleil estival se fraye un chemin. Ma montre indique neuf heures vingt-cinq du matin. Aujourd'hui, c'est mon anniversaire. Dommage que Lucas travaille et que mes amies aient quitté la ville. Aussi bien me lever, pour ne pas déprimer.

— Il y a quelqu'un ?

Ma voix résonne bizarrement dans la grande maison vide. Mes parents sont déjà partis pour le bureau. En route, ils ont dû conduire Hugo à la garderie.

Mon estomac gargouille. Je slalome entre un camion de pompier, des Lego, une épée en plastique... pour arriver à la cuisine. Maman m'a peut-être laissé une gâterie, du genre croissant ou chocolatine.

Rien! Juste un mot sur le comptoir:

Bonne fête, ma chérie!
On va célébrer ce soir!
Bonne journée,
                xx Maman

Avec sa touche d'humour habituelle, mon père a ajouté:
«Si tu t'ennuies, Billy, tu peux toujours faire le ménage.
Ha! Ha! Ha! À ce soir.»

Déprimant! Tellement déprimant...

L'horloge sonne la demi-heure. Ils ne rentreront pas
avant la fin de l'après-midi. J'ai à peu près huit heures devant
moi à m'occuper «à ne pas célébrer mon anniversaire».

Je me prépare un bol de céréales et m'assois devant la
télé. Encore une émission de cuisine! Je change de chaîne.
Rien d'intéressant. J'éteins et je mange, en écoutant le
moteur du réfrigérateur... et en ruminant ma déception
quant au début plutôt décevant de mes dix-sept ans.

La sonnerie de la porte d'entrée brise tout d'un coup
le silence dans lequel je m'étais installée, comme dans un
hamac. Enfin, un peu d'action!

Je jette un coup d'œil par la fenêtre:

— C'est Lucas!

Je hurle de joie. La voisine va se demander ce qui passe.

— Bonne fête, ma petite Billy d'amour!

Il me couvre de baisers comme un épagneul qui n'a pas vu son maître depuis des mois :

— Suis-moi, Billy, je veux t'offrir quelque chose.

Le temps d'attraper mes clés et mon portefeuille, Lucas m'entraîne allègrement vers la rue Saint-Denis, tout en m'expliquant qu'il a réussi à convaincre son père de lui donner congé !

— Une nouvelle poissonnerie vient d'ouvrir, ajoute-t-il en gesticulant comme s'il était au milieu de l'océan en train de pêcher un énorme espadon.

J'ai envie de lui dire qu'aujourd'hui c'est le 15 juillet, pas le 1er avril ! Je me retiens.

Nous entrons dans le magasin. Des centaines de poissons barbotent dans des bacs. Des gros, des petits, des plats, des longs, des poissons de toutes les couleurs. Il y a aussi des crabes, des homards et des coquillages de toutes sortes. Nous nous arrêtons devant un bassin où d'imposantes carpes frétillent en se frappant les unes contre les autres.

Une énorme dame vêtue d'une robe vert lime et portant un chapeau de paille nous bouscule et se glisse devant Lucas. Je me déplace pour la laisser passer, sans quitter des yeux une carpe qui me fixe d'un regard insistant. J'ai l'impression que ce n'est pas une coïncidence. Tout en la désignant à Lucas, je lui explique :

— Je crois qu'elle cherche à me dire quelque chose.

La femme en vert lance immédiatement au commis :

— Je veux celle-là !

Pourtant, elle a bien vu que c'est celle que je viens de montrer à Lucas. Elle a délibérément opté pour «ma carpe»!

Je détaille la dame. Elle me fait penser à une énorme chenille verdâtre.

— C'est la nôtre, s'interpose Lucas en bougeant la tête comme un métronome. Ma blonde l'a pointée du doigt.

— Ouin !

Je bafouille en agitant l'index devant l'employé, comme s'il pouvait y lire quelque chose.

— Pas du tout ! s'exclame la Chenille.

Son visage prend une couleur écarlate, parfaitement agencée à ses vêtements.

Tel un danseur étoile, Lucas s'élance vers le commis, se penche vers lui et lui chuchote quelques mots à l'oreille. L'homme me regarde d'un air qui me fait chaud au cœur.

— Mettez-la dans ce sac vert, demande Lucas, en le sortant de sa poche. Et s'il vous plaît, ajoutez assez d'eau pour qu'elle survive.

Offusquée, la dame croise brusquement les bras. Elle me rappelle Obélix quand il boude et retient sa respiration.

— Billy ! C'est ta « carpe de fête », déclare Lucas.

Il soulève le sac à la hauteur de ses yeux.

— Je n'ai encore rien écrit dedans, ajoute-t-il en éclatant de rire.

— Mais... mais je ne veux pas la tuer... et encore moins la manger !

— Qui a parlé de la tuer ?

Le commis nous observe, amusé. C'est sans doute la première fois qu'il vend « une carpe de fête ».

Le cœur battant, j'ouvre la porte extérieure pour Lucas. Sur le trottoir, il annonce :

— Il faut la mettre à l'eau le plus vite possible. C'est une question de vie ou de mort.

C'était donc ça, son plan ! Je réalise que je viens de recevoir un cadeau fabuleux : rendre la liberté à un être vivant !

— On va au Vieux Port, ajoute-t-il rapidement.

Je lui fais remarquer que c'est loin. J'imagine déjà ma carpe agoniser à petit feu.

— Il n'y a qu'une solution, déclare Lucas...

Avant qu'il ne prononce le mot fatal, je le fais à sa place :

— Le métro !

Ma voix a tremblé. Lucas l'a remarqué.

— Oui, Billy, c'est sa seule chance de survie. Nous allons prendre le métro et relâcher ta carpe à la Plage de l'Horloge.

Il est planté devant moi, immobile. Il sait que je suis terrifiée à l'idée d'utiliser ce moyen de transport. Cherche-t-il à m'aider?

Cette situation m'embête. Je suis emprisonnée dans une phobie et, plus que tout au monde, j'ai envie de m'en débarrasser, mais j'ai si peur…

Indécise, je me mordille la lèvre inférieure.

La carpe commence à gigoter dans tous les sens. Lucas attrape le sac des deux mains, tout en secouant la tête pour repousser une mèche qui lui tombe dans les yeux. Je m'approche et me lève sur la pointe des pieds. Lucas se penche. Je promène mes doigts ouverts dans sa chevelure jusqu'à l'arrière de son crâne. Son odeur me rappelle la tendresse et plein de souvenirs heureux. Il se relève et son visage s'éclaire d'un sourire complice qui a raison de ma volonté : je vais encore le suivre dans l'un de ses plans extravagants !

Au fond, c'est précisément ce côté un peu fou qui m'attire chez Lucas. J'aime aussi le voir si bien dans sa peau. Moi, j'ai trop de démons. Comme cette phobie de prendre le métro. La dernière fois que je l'ai fait remonte à six ans. Les agents de sécurité ont dû appeler une ambulance tellement j'étais paniquée. Je m'étais juré de ne plus y remettre les pieds.

— Écoute Billy, on saute dans le métro Laurier et on descend à Champ-de-Mars. C'est super rapide, insiste Lucas.

La carpe se démène. Elle ne semble pas apprécier son nouvel environnement. Chaque minute compte.

Je m'entends dire :

— Allons-y !

Est-ce que j'ai vraiment donné mon consentement ? Pour prendre le métro ?

Nous partons au pas de course jusqu'au boulevard Saint-Joseph. Je suis en sueur lorsque nous atteignons la station Laurier. Nous sautons sur la première marche de l'escalier mécanique. Lucas est heureux, tandis que moi, je mobilise mes énergies juste pour rester calme.

En m'enfonçant sous terre, je prends conscience du sale pétrin dans lequel je suis en train de me fourrer. Cette descente me conduit droit en enfer. Mon estomac se noue comme une serviette qu'on tord pour en retirer l'eau. Les parois de béton qui m'entourent bougent et m'enserrent comme un étau. Partout où se pose mon regard, les pires scénarios surgissent à mon esprit. Vais-je mourir victime d'un attentat terroriste ? Ou empoisonnée par une substance toxique libérée dans l'air ? Ou simplement par manque d'oxygène ?

Je dévisage les gens qui montent en sens inverse, cherchant à lire dans leurs yeux quelque signe qui confirmerait mes appréhensions. Non, ils semblent tous bien portants et confiants. Ça ne suffit pas à empêcher ma peur de progresser : là, tout en bas, quelque chose de terrible se produira. J'en suis convaincue !

De seconde en seconde, mes inquiétudes se transforment en obsessions. Elles m'empoignent et me tiennent à leur merci. Proche de la panique, je m'agrippe à la rampe. Le grondement du métro achève de me déstabiliser. Je dois rebrousser chemin.

Je regarde Lucas. Il est trop… trop gentil. Je m'en veux tellement, mais je ne peux pas… pas cette fois encore.

Nous arrivons en bas de l'escalier mécanique. Je fais demi-tour pour remonter et empoigner la rampe. Mon geste est aussitôt interrompu par Lucas, qui agrippe mon bras :

— Billy, viens ! Si on fait vite, on pourra attraper le prochain métro.

Il reprend le sac des deux mains et m'observe.

— Dépêche-toi ! répète-t-il sur un ton suppliant.

Je le fixe, sans voix.

— Et si on donnait un nom à ta « carpe de fête », suggère Lucas, contre toute attente.

Pendant une seconde, j'oublie où je me trouve. Je l'embrasse.

— Juliette ! Appelons-la « Juliette ».

— Le fleuve Saint-Laurent va bientôt t'accueillir, jolie Juliette gluante, déclare solennellement Lucas à la grosse bête qui se balance dans le sac vert.

Je me laisse de nouveau entraîner dans le repaire du diable. Parce que c'est bien de cela qu'il s'agit : un endroit sous des tonnes de terre et dans lequel on se déplace comme des taupes, des fourmis, des marmottes...

Se doutant de la noirceur de mes pensées, Lucas me saisit la main, tandis que de l'autre il continue à transporter sa lourde charge. Je me calme un peu. Nous atteignons le quai d'embarquement juste à temps pour sauter dans un wagon.

— On a réussi! clame Lucas en me désignant deux sièges vides.

Je me laisse tomber sur l'un d'eux. Je n'en mène pas large. Le menton collé sur la poitrine, je tente de maîtriser mon souffle...

— Ça va? me demande Lucas, inquiet.

Je lève la tête et je me sens aussitôt vaciller. La lumière du wagon m'éblouit. Je me mets à transpirer. Je suis sur le point de mourir, c'est sûr.

Lucas me regarde avec des yeux de carpe. Les mêmes que Juliette! Il sait que je cherche à surmonter ma peur et que je n'y parviens pas. Il se demande si c'était une bonne idée de m'amener ici.

Je me force à penser à autre chose. Je scanne les environs. Les autres passagers semblent insensibles à la tragédie qui se prépare.

Nous avons déjà quitté la station Laurier et nous nous enfonçons dans un tunnel sombre. Je crois déceler un bruit anormal. Les murs vibrent. Le plancher tremble. Comment peuvent-ils tous être indifférents ?

Maintenant, nous filons à toute allure. Je suis sûre que les vitres vont éclater. Le gars devant moi bâille, tandis qu'une mère lit un livre à sa petite fille. Je sais que je suis la seule à vivre une émotion aussi pénible. Pourquoi ?

Enfin, le métro ralentit et s'immobilise à la station Mont-Royal.

— Lucas, je sors d'ici, dis-je en me levant.

Le poisson se met à gigoter comme un fou. Il se déplace sur le plancher du wagon et il attire l'attention des gens tout autour.

— Mais qu'est-ce que c'est que ça ? demande un homme en désignant le sac.

— Un serpent, ment Lucas.

Celui qui a posé la question bondit vers l'arrière du wagon, aussitôt suivi par deux autres personnes visiblement effrayées.

Je me rassois, curieuse de voir ce qui va se passer, et voilà que le métro repart avant que j'aie le temps de réagir.

— Qu'est-ce que tu as dit ? articule lentement une voix grave pleine de colère. C'est interdit de transporter ce genre d'animal dans le métro.

Lucas et moi, nous nous retournons pour apercevoir un costaud de sale humeur. Son t-shirt semble sur le point d'éclater tant ses énormes muscles sont contractés.

— C'est une blague, explique Lucas, mal à l'aise. Ce n'est pas un serpent.

Le wagon s'enfonce de nouveau dans le tunnel étroit et je retrouve, intacte, la terreur qui m'a habitée plus tôt.

Mais cette fois, c'est pire. Désespérée, je regarde autour de moi. Une vieille dame se lisse le front et me sourit. Son compagnon, encore plus âgé, est assis à ses côtés :

— Pauvre petite ! lui souffle-t-il sans penser que je l'entends. C'est une « malepeur »...

Lucas, qui est d'un sans-gêne incroyable, lui demande :

— Qu'est-ce que c'est, une « malepeur » ?

L'homme relève ses épais sourcils gris tout ébouriffés et secoue la tête. S'aidant de ses deux mains, il explique :

— C'est le nom qui servait autrefois à désigner les craintes qu'on a sans raison et qui nous empêchent de bien vivre.

— Oui, acquiesce la vieille dame. Il y a un proverbe russe qui affirme que la peur a de grands yeux. J'ajouterais « de trop » grands yeux. Elle fait voir au-delà de la réalité. Elle incite à inventer des scénarios catastrophiques...

Je sens que cette femme me comprend. J'ai envie de lui parler.

Un bruit de dépression pneumatique me devance. Incapable de me contrôler, je commence à trembler de tout mon corps. Si je ne meurs pas, je vais devenir folle. Je n'arrête pas d'avaler l'air et pourtant, rien n'entre dans mes poumons. Le sac de plastique posé sur le plancher du wagon se met à bondir de nouveau en produisant des « Tap ! Tap ! Tap ! ». Une sensation d'étranglement m'empêche de respirer.

« Tap ! Tap ! Tap ! »

Je me balance d'avant en arrière. Tout ce que je veux, c'est partir, quitter cet endroit, d'une façon ou d'une autre.

Je sens que je vais bientôt m'évanouir, comme la dernière fois. Je n'entends plus que les cognements du poisson :

« Tap ! Tap ! Tap ! »

— Cessez d'aggraver votre peur ! m'ordonne la voix chevrotante de la vieille dame.

J'ouvre les yeux et je l'aperçois penchée vers moi :

— Inspirez lentement en comptant jusqu'à cinq, puis expirez tout aussi doucement.

J'obéis. Petit à petit, le monde redevient plus présent. C'est là que je réalise qu'on m'observe.

Les murs de la station Sherbrooke se mettent à défiler. Je souffle et me lève pour sortir. Enfin, je serai délivrée de ce supplice.

— Ne refais plus jamais cette mauvaise farce, ordonne le costaud à Lucas. Il y a trop de gens qui ont peur des reptiles. On ne blague pas avec ça. Personne ne choisit d'avoir peur.

Lucas remarque les mains de l'homme, tremblotantes, qui trahissent son malaise. Celui-ci a sans doute la phobie des serpents.

Il quitte les lieux et tout un groupe entre dans le wagon, devenu aussi silencieux qu'un cimetière la nuit.

Un musicien avec sa guitare s'installe près de nous. Il est accompagné d'une fille hyper maquillée. Ses cils sont si longs et épais qu'on jurerait qu'elle s'est collé du faux tapis sur les paupières.

Le son des portes que l'on ferme retentit. Je sursaute et me mets à pleurer comme une dinde. Devant le regard ahuri des passagers, j'explique :

— Je hais ces : dong, dong, dong !

Le gars à la guitare me dit que ces pulsations sont les trois premières notes de la pièce *Fanfare for the Common Man*. C'était l'un des thèmes musicaux de l'exposition universelle de 1967.

— M'en fiche !

J'ai articulé ces mots d'un air si agressif que Lucas se sent obligé de m'excuser :

— Intéressant ! Merci du renseignement. Tu es musicien du métro ? Il paraît que pas mal de Québécois ont démarré leur carrière dans les souterrains de Montréal : Garou, par exemple.

— Oui… acquiesce l'artiste.

Sa compagne bat des tapis.

Une jeune femme assise tout près nous demande :

— Alors qu'est-ce qu'il y a dans ce sac, si ce n'est pas un serpent ? Ça bouge pas mal !

— C'est « ma carpe de fête », dis-je faiblement.

Elle trouve ça très drôle, et l'information circule dans le wagon. Et d'autres rires se joignent au sien.

J'essaie d'être plus gentille. Je ne suis pas trop à l'aise à l'idée que Lucas ait terrifié tant de gens. Ils doivent se sentir ridicules d'avoir eu peur. Je sais ce que c'est !

— Une carpe de fête ! répète un gars en fermant son ordinateur. J'ai déjà reçu des cartes musicales, des cartes virtuelles, mais jamais de carpe de fête !

— Elle s'appelle Juliette, et on s'en va la libérer à la Plage de l'Horloge, explique Lucas.

À peu près tout le monde s'intéresse à la conversation. Plusieurs se sont levés et observent Juliette bondir à petits coups.

— Pas une bonne idée, claironne une femme en tailleur bleu marin. Juliette va tomber d'une dizaine de mètres et elle pourrait se blesser sérieusement.

— Et c'est sans parler du traumatisme, approuve la vieille dame.

Une discussion animée s'amorce. Chacun propose un endroit où libérer notre Juliette. On se croirait en temps d'élection. Des camps se forment pour l'un et pour l'autre. Finalement, tout le monde se met d'accord sur le parc du Bassin Bonsecours. La surface de l'eau est à quelques centimètres du sol et on pourra y déposer Juliette délicatement.

Cette discussion m'a fait du bien. J'ai eu l'esprit occupé à autre chose, et les portes viennent de se refermer sur la station Berri-UQAM. Je commence à me sentir mieux.

— Le sac est percé, s'écrie le vieil homme, en désignant une flaque sur le plancher.

Le musicien arrache de son étui à guitare un large morceau de ruban adhésif.

À genoux sur le plancher du wagon, il trouve le trou, assèche tout autour et applique dessus le ruban gris.

— De l'eau! crie Lucas. Il faut en ajouter, sinon la carpe va mourir.

Aussitôt, des passagers tendent des bouteilles. Lucas déverse le liquide dans le sac.

Comme le métro ralentit, les mots Champ-de-Mars apparaissent. Lucas a refermé le sac et il le prend tout contre lui pour amoindrir le poids près de l'endroit où il a été percé.

Nous quittons le wagon à toute vitesse, encouragés par des cris de «Bonne chance!».

Mon cœur bat si fort que mes tympans vont exploser. Juliette ne bouge plus. Est-elle morte ? Nous montons les escaliers quatre à quatre pour rejoindre la sortie. Et je me retrouve enfin sous le ciel, baignée de soleil. Le vent effleure mon visage. Mais je n'ai pas le temps de profiter de cet instant de pur bonheur.

J'emboîte le pas à Lucas, qui part à toute vitesse. Il est difficile à suivre. Nous longeons les rues Gosford, Saint-Claude, Saint-Paul et Bonsecours, et fonçons tête baissée vers le bassin.

Aussitôt arrivés, nous nous jetons à genoux. Lucas ouvre frénétiquement le sac et dépose Juliette dans l'eau. Son corps luisant vacille. Va-t-elle se retourner sur le dos, ventre en l'air ?

Nous retenons notre souffle. Coude à coude, nous attendons…

D'un coup de queue, Juliette nous quitte et glisse vers l'inconnu.

Lucas m'enlace étroitement, amoureusement.

Quelle fête !

Je suis soulagée que Juliette ne soit plus prisonnière de son petit bassin d'eau surpeuplé.

Maintenant, c'est à mon tour de glisser vers mes dix-huit ans, en luttant de toutes mes forces pour ma liberté.

ÉMILIE RIVARD

Mon destin en boîte

Quoi? Yark! Bien non! Ils en font avec l'image de Dora l'exploratrice? Je n'ai jamais rien vu de si mauvais goût! Ah! Ouf! C'est un thermomètre. Ce n'est pas ce que je cherche. Je pense que je vais mourir. Mourir au beau milieu du Jean-Coutu, avec du Bruno Pelletier en trame sonore. Bruno Pelletier, calvaire! Je me faufile entre deux mamies pas pressées jusque dans l'allée suivante. Évidemment, le seul étalage qui me saute aux yeux est celui des condoms. Les boîtes bien alignées semblent me juger:

— Toutes les grandeurs, toutes les couleurs et même toutes les saveurs possibles, pis t'étais pas foutue d'en choisir une sorte?

— C'était une erreur de débutants, les *boys*.

Voilà! Je réponds aux boîtes de capotes, maintenant! Je délire. Ou bien je suis la vedette d'une télésérie dramatico-poche pour ados, de celles qui veulent conscientiser de façon ludique. Dans quelques minutes, on passera à la pause publicitaire. Je pourrais tout oublier, le temps d'une pub de Pepto-Bismol et de Mazda 5.

Mais non. Pas de pause publicitaire. Ni de scénario pour guider mes gestes. Je le prendrais bien, le dialogue préétabli, pour pouvoir annoncer la nouvelle à Louis.

Justine, tortillant le bas de son chandail — Salut, Louis! Tu sais, l'autre jour, quand on a décidé de reproduire le dessin animé troublant que madame Monique nous avait fait écouter en première secondaire, mais en sautant le bout de la démo avec un condom pis une banane, plutôt que d'écouter la fin de *Kill Bill* qu'on a vu 14 fois de toute façon?

Louis, mastiquant sa croustille au ketchup — Je m'en souviens très bien, oui. J'ai justement retrouvé un kleenex à côté du divan du sous-sol...

Justine — Sache, mon cher Louis, qu'on va peut-être devoir passer au deuxième DVD de madame Monique.

Louis, après une seconde de réflexion — Celui qui s'appelait « L'alcool, c'est le démon déguisé en bouteille *funky* »?

Justine — Non, gros cave! « Le cycle de la vie, de l'ovule à la chose qui remplit des couches ».

Fin de l'épisode. Générique. Pub de Pepto-Bismol. Facile, la vie à la télé. Mais la réalité, c'est que si je joue cette scène-là dans le sous-sol de Louis il va... il va... Difficile de prédire ce qui lui arrivera, mais juste de réfléchir à la question, j'ai l'impression que tous mes organes chutent jusqu'à mes talons, se creusent un trou sous mes pieds et se cachent en bas de la tablette d'antihistaminiques. Je suis devant la trappe d'aération, mais comme mes poumons se situent quelque part en dessous du Benadryl, je ne parviens plus à respirer. Je m'assois à même le sol et je m'adosse au rayon derrière moi.

J'essaie de me convaincre. Encore une fois. « Relaxe, Justine. Tu n'as jamais eu un cycle menstruel terriblement régulier de toute façon. Il faudrait vraiment que tu sois malchanceuse pour être tombée enceinte comme ça... pouf ! Du premier coup ! Mathématiquement, si c'était si facile, Anne-Anaïs Poulin aurait une famille de 15 enfants minimum ! »

Pourtant, cette peur terrible me broie l'estomac comme un batteur à œufs. La comparaison est dégoûtante, mais elle est trop juste pour que j'en cherche une autre qui conviendrait davantage aux âmes sensibles.

— Ça va ?

Je relève la tête. Devant moi se trouve un gars vêtu d'un sarrau, même si sa principale tâche consiste à former une pyramide la plus stable possible avec des paquets de rouleaux de papier hygiénique. Considérant son effort de barbe, je lui donnerais dix-neuf ou vingt ans. Ai-je vraiment envie de raconter mes déboires à un employé de pharmacie ?

— C'est correct. J'ai juste eu une petite faiblesse.

— Je peux t'aider ?

— C'est beau. Je cherche une carte de fête pour mon père. Il a quarante-sept ans aujourd'hui. Je lui ai acheté une planche pour faire fumer du poisson sur son BBQ. Je ne sais pas si ça marche avec la viande aussi ou juste le poisson. Je connais pas grand-chose aux BBQ.

— Ah ! OK. Les cartes de fête, c'est dans la rangée 2.

— Merci.

Il paraît que plus on ajoute de détails à notre mensonge, plus il devient plausible. Je ne sais pas si le faux pharmacien à demi barbu m'a trouvée crédible. Il ne manquait plus qu'une date et une statistique pour faire encore plus vrai. Du genre : « En 2002, une étude de l'Université du Wyoming démontrait que 72 % des hommes vendraient leur téléviseur avant de se départir de leur BBQ. » Ça aurait été bien de croire à mon histoire de carte de fête, juste deux minutes. Une pause publicitaire, quoi...

J'attends que l'employé reparte, puis je me relève. Je trouve rapidement l'étalage de tests de grossesse. Il n'y en a pas à l'effigie de Dora l'exploratrice, finalement. On devrait être excitée et fébrile quand on vient acheter un tel article. Pas complètement terrifiée ! Et pourquoi existe-t-il autant de sortes ? Tiens, en voilà un qui parle. QUI PARLE ! Ah bien oui ! J'avais justement envie que la ville au complet puisse entendre une voix mélodieuse préenregistrée leur annoncer que je suis enceinte ! Leur annoncer que j'ai fait l'amour avec un gars, premièrement, parce que dans le quartier, j'ai toujours été considérée comme la petite parfaite. Celle qui ne laisserait aucun gars l'approcher à moins de deux mètres avant le mariage, qui terminerait ses études secondaires, collégiales et universitaires avec mention, pour ensuite révolutionner le monde de la médecine vétérinaire. Il y a six semaines, cette fille-là, c'était moi.

Je prends la première boîte qui tombe sous ma main tremblotante comme une centenaire. C'est un modèle bien simple, sans voix, ni petit sourire en néon clignotant, ni éclats de confettis. Je passe par l'allée numéro 2 et je choisis une carte avec une voiture ancienne dessus, pour la fausse fête de mon père. Comme si une carte d'anniversaire suffisait à détourner l'attention de la honteuse boîte.

Dans les moments de grands drames personnels, la solidarité prend le bord. Appelons ça l'instinct de survie. C'est cette grande loi de la jungle qui me dessine un sourire mesquin dans le visage lorsque je vois le client me précédant à la caisse déposer sur le comptoir une crème contre les hémorroïdes. La caissière, une quinquagénaire trop maquillée, ne lève même pas un sourcil. Le client paie sa crème à fesses, agrippe son sac de plastique comme si sa vie en dépendait et sort de la pharmacie.

Avancer d'un pas. Déposer mes achats sur le comptoir. Enfoncer ma carte de débit dans la machine. Composer mon NIP. Ramasser mon petit sac et sortir. Je les connais, les étapes. Mais je reste figée. La caissière me fixe, attendant que je bouge. J'ai plutôt envie de détaler vite fait en volant la carte d'anniversaire. C'est assurément ce que je ferais si j'arrivais à remuer. C'est ridicule! Le pas trop barbu passe près de moi.

— As-tu trouvé une carte pour ton père?

Son ton chargé de sarcasme m'indique qu'il n'attend pas de réponse. Son intervention me permet toutefois de reprendre un peu de contenance. J'arrive même à sourire à la caissière, qui me répond par un tressautement de narine. Charmante. Mais aujourd'hui, son air blasé me rassure. Elle me fait payer sans plus de souci que si je me procurais du baume à lèvres et une Caramilk. Une Caramilk... C'est ce qui se rapproche le plus du rêve en ce moment. On a beau ne pas savoir comment ils y insèrent le caramel, ça demeure pas mal sans surprise, comme friandise. Et aujourd'hui, le sans-surprise me plairait beaucoup.

* * *

J'entre chez moi. La maison est silencieuse. Mes parents sont au boulot, mon petit frère Will apprend à calculer l'aire d'un cercle ou une bêtise tout aussi inutile en situation de crise. À l'heure qu'il est, je devrais me trouver dans un gymnase glacial en compagnie de 27 autres ados en shorts, à lancer des ballons dans un panier. Ou plus exactement à essayer de passer à moins d'un mètre de la cible. Quelqu'un peut-il m'expliquer ce que ce genre d'apprentissage apporte, concrètement?

Je monte dans ma chambre, je lance le petit sac de Jean-Coutu sur mon lit et je me laisse tomber à côté de lui.

Je vais mourir. C'est biologiquement impossible de se sentir aussi comprimé à l'intérieur sans que quelque chose cède, casse, déchire, éclate ou explose. Le cœur, un rein, je ne sais pas trop, mais je ne pourrai jamais survivre à cette sensation! Mon bon sens me dit que je devrais faire le test au plus vite. En cas de résultat négatif, tout sera fini. Mais mon immense sentiment de fin du monde hurle à mon bon sens un tonitruant: «VA CHIER!»

Essayer de ne penser à rien. Agir sans réfléchir une seconde de plus. C'est comme ça que j'y arriverai. Un, deux, trois...

GO! Je me redresse sur un coude, glisse ma main dans le sac de plastique, saisis la boîte, me replace sur mes pieds et marche avec juste assez d'aplomb pour me rendre à la salle de bain. Le pire reste quand même à venir. Je m'assois lentement sur le rebord de la baignoire. Je tourne et retourne la boîte dans mes mains. Je n'y connais rien en tests de grossesse, mais mes dix-sept ans d'expérience de vie me permettent de croire que je devrais l'ouvrir. Il me semble que ce serait un début. J'imagine Anne-Anaïs Poulin uriner sur l'image du test de grossesse et je pouffe de rire. C'est complètement méchant, mais ça me fait un bien immense, pendant une fraction de seconde!

J'ouvre donc la boîte, avant de la retourner et de laisser tomber le bout de plastique blanc allongé dans la paume de ma main. C'est l'objet le plus insignifiant que j'ai vu de ma vie. Après les bagues en faux diamants données par les dentistes, peut-être. Mais ça suit de très près.

Comment un outil aussi banal peut-il avoir un impact aussi titanesque sur ma vie? Titanesque. Le mot est bien choisi. Le bout de plastique va peut-être m'annoncer que j'ai foncé dans un iceberg et que je vais sombrer au fond de l'Atlantique.

« Ça suffit, ma Juju! Là, n'attends pas que le reste de la famille débarque! » Je lis rapidement les instructions. En clair, je dois retirer le petit bouchon au bout et faire pipi sur la languette. Pour ça, il faudrait que j'aie au moins un peu envie… Pas question que je descende à la cuisine. Ma réserve de courage est à sec, et je serais incapable de remonter. J'ouvre le robinet du lavabo et j'essaie de boire à même le jet. L'eau atteint davantage mes narines que ma bouche. J'en ai jusque dans les cheveux. Je me sens complètement ridicule. Pourquoi personne n'a encore pensé faire une série de télé-réalité me mettant en vedette? Ce serait un *show* d'humour incomparable!

« Ne manquez pas cette semaine à l'émission: Justine tente de façon risible de se remplir la vessie pour mieux faire pipi sur un test de grossesse. Positif ou négatif? Le suspense est à son paroxysme! Ne ratez pas la réaction de Louis, qui, en apprenant la nouvelle, recrache sa gorgée de Sprite par le nez, glisse dans la flaque de boisson gazeuse et se fracasse la tête sur le carrelage. Survivra-t-il à sa fracture crânienne? Si c'est le cas, gageons que la prochaine fois il gardera ses jeans et regardera la fin de *Kill Bill*! Découvrez tout ça et bien plus encore jeudi, à 20 h, sur les ondes de JujuTV! »

Je dois me rendre à l'évidence : le remplissage de vessie est un échec total. Je devrais malgré tout être capable de produire une quantité nécessaire d'urine. Je m'assois sur la toilette. Sur le mur juste à côté, le petit chat *cute* qui joue avec du papier de toilette dans son cadre me fixe avec jugement. « On sait bien, toi, le minou, tu es trop jeune pour cumuler des niaiseries dans ta vie, hein ! Mais je suis certaine que ta mère t'a eu avec un vulgaire matou de ruelle. Oui, oui ! Je t'annonce que tu es le fruit d'une misérable aventure d'un soir ! »

Oh ! On dirait que le fait d'insulter une photo de chat me donne un peu envie. Pas le temps d'analyser le lien entre ma haine soudaine des félins et ma vessie ! Il ne faut pas que je rate mon coup. Viser la languette... Viser la languette... Ironiquement, ce serait tellement plus facile pour un gars ! Ah ! Voilà peut-être une application directe à l'entraînement d'un sport de précision comme le basket-ball. Et moi qui croyais que ça ne servait absolument à rien...

Le jet doré éclabousse juste assez la barre de plastique. Eh bien ! Je suis devenue spécialiste du test de grossesse, maintenant ! Je ne crois pas que je mettrai ce nouveau talent sur mon CV...

Je programme les deux minutes d'attente sur mon iPod. Deux minutes, c'est tellement peu pour tout virer à l'envers ! Je dépose le test sur le bord du lavabo, le petit bout plein de pipi dans le vide, comme un minitremplin. Un minitremplin qui mène au fond des égouts.

Je m'assois sur le tapis de douche à poil long. Je ferme les yeux pour savourer les dernières secondes. J'ai envie de vomir. J'ai envie de mourir. J'ai envie de tout oublier. Et que Louis me prenne dans ses bras.

Les bras de Louis, c'est comme une grosse couverture de polar. C'est le réconfort assuré. Mais... pas pour un bébé. Pas tout de suite. Pas avant dix ans. Il a tenu son cousin de quatre mois le temps d'une photo, l'été dernier, et tout le monde croyait qu'il allait l'échapper. On l'a tous imaginé glisser lentement, puis s'écraser sur le parvis de l'église. Sa tante a retenu son souffle tout le long (qu'est-ce qu'on ne ferait pas pour une belle photo de famille !). Son père s'est contenté de le taquiner :

— Louis ! Tiens-le pas comme une bombe !

— Je le tiens pas comme une bombe, non plus ! Prenez-la, votre photo, là !

Il a essayé de retenir le poupon sous les fesses et s'est rendu compte que c'était un peu humide. Ça l'a dégoûté, il a replacé ses mains sous les aisselles, jusqu'à ce que la petite chose lui bave abondamment dessus. Finalement, pour obtenir un souvenir convenable, il a dû tendre le pauvre bébé à sa cousine, beaucoup plus habile que lui, du haut de ses sept ans. Bref, pas un naturel avec les bouts de choux, mon Louis. Mais quoi de plus normal ? À dix-sept ans, un gars a besoin d'être habile avec un ballon de foot, une manette de jeux vidéo et un volant d'auto-école. C'est réducteur et franchement sexiste, mais c'est ÇA, la vie d'un gars qui finit son secondaire.

Pour la première fois depuis le début de toute cette aventure, je pleure. Ça fait un bien immense! Je sanglote sans craindre que quiconque m'entende, même si la fenêtre est ouverte et que madame Côté est sûrement en train de jardiner dans sa cour. Je braille tellement fort que j'entends à peine l'alarme de mon iPod qui sonne la fin des deux minutes. Mais le signal me donne un tel coup de fouet que j'ai l'impression que les larmes cessent de glisser sur mes joues, arrêtant leur course avant d'atteindre mon menton.

Je relève ma molle carcasse, étonnée d'en être encore capable. Ma curiosité repousse ses propres limites! Je me soutiens au bord du comptoir. Je cherche mon souffle. Puis mon regard trouve le courage de se déplacer du tube de dentifrice où il s'était réfugié au petit rectangle révélateur.

Une seule ligne. Je me promets une bonne dizaine d'années avant de revivre ce calvaire.

JONATHAN REYNOLDS

La reine des échecs

Le regard rivé sur son iPod, Benoît me demande :

— Alors, raconte ! Es-tu allé parler à Chloé ?

Je baisse brièvement les yeux vers mes espadrilles neuves :

— Non…

— Franchement ! Regarde-moi.

Il fronce les sourcils et me dévisage.

— Qu'est-ce que tu attends ?

— Euh… Je ne suis pas prêt.

Se doutant que je n'ai aucun argument valable, il retourne à son appareil électronique.

— Tu vois, c'est ça ton problème : tu n'oseras jamais. Comment veux-tu qu'une fille s'intéresse à toi si tu ne vas pas lui parler ?

Je sais qu'il a raison. Comme toujours. J'acquiesce d'un hochement de tête.

— Est-ce qu'au moins elle sait que tu...

Je devine son dernier mot – *existes* –, car un soudain vacarme interrompt notre conversation. À l'autre bout de la rue apparaît le camion de son père qui, à ma connaissance, n'a jamais eu d'autre véhicule que ce tas de ferraille ambulant. Nous le regardons approcher, de plus en plus bruyant. Il est pourtant le mécanicien le plus réputé du village.

Le véhicule pétaradant se gare dans l'allée d'asphalte aussi ridée que son conducteur. Logiquement, il ne peut pas être si âgé que ça... Néanmoins, il paraît plus vieux que mon grand-père.

Je salue l'homme bedonnant d'un geste de la main. Fidèle à son habitude, il me répond en levant de façon théâtrale son éternelle casquette à l'effigie des Canadiens.

— Salut les filles! nous nargue Josée, la grande sœur de Benoît, en sortant à son tour du camion.

— Bonjour, la huileuse! lui répliqué-je en pouffant de rire.

Elle partage mon rire en promenant son regard sur ses vêtements tachés d'huile à moteur. Quand je la vois revenir du garage de leur père, elle est toujours marquée des résidus de sa journée de travail.

— Et en plus, je me suis renversé de l'essence sur les bottes!

En riant de plus belle, je fais semblant de craquer une allumette et de mettre le feu à ses bottes.

— Benoît, ton ami Julien est un vrai pyromane ! rigole-t-elle avant de s'éloigner.

Quand son père et elle entrent dans leur maison, je remarque que Benoît me toise, le visage moqueur.

— Quoi ?

— Si tu étais aussi à l'aise avec ta Chloé que tu l'es avec ma sœur, vous seriez déjà mariés avec trois beaux enfants...

— Ben là, tu exagères ! Pas à quinze ans, quand même !

L'air de plus en plus amusé, il soutient mon regard.

— Et ce n'est pas la même chose. Euh... C'est ta sœur.

— C'est aussi une fille ! Et, contrairement aux autres filles, tu réussis à lui parler sans problème.

Ses traits se détendent, comme chaque fois qu'il se sait victorieux.

J'ouvre la bouche, mais décide finalement de taire le peu que j'aurais trouvé à dire. Encore une fois, il a réussi à me convaincre.

Il reporte son attention sur son iPod et se lève du trottoir où nous sommes assis depuis une bonne demi-heure. Cette année, son père l'a inscrit à l'école publique, nous ne sommes plus dans la même classe. Nous nous retrouvons ainsi chaque jour, après les cours, pour jaser devant chez lui. Avant que je remarque Chloé, je désirais plus que tout quitter l'école privée pour aller retrouver mon meilleur ami.

Pendant qu'en vélo je rentre chez moi, à quelques rues de là, je me promets de suivre son conseil. C'est décidé : demain, j'oserai enfin parler à ma petite Française.

* * *

En entrant dans le local du club d'échecs où, pour une raison qui m'échappe, flotte toujours un arôme de toasts brûlées, je la vois immédiatement. Chloé est assise, dos à moi, devant la grande Valérie, une fille de ma classe. Ses cheveux bruns contrastent avec les murs d'un vert dégoûtant et ses longues jambes de sportive semblent suivre le rythme d'une chanson silencieuse. Comme à chacune de mes visites, l'endroit est pratiquement désert.

Peut-être pour déconcentrer son adversaire, la grande Valérie rompt brusquement le silence :

— Vas-tu enfin m'expliquer pourquoi une belle fille comme toi n'a pas de *chum* ?

À cette révélation surprenante, je retiens mon souffle. Chloé relève lentement la tête vers son adversaire. Je constate que son corps se raidit pendant quelques secondes.

— Euh... Tu sais, moi, les garçons de l'école... soupire-t-elle.

Après un bref moment de silence, toutes deux éclatent de rire. Rire qui s'interrompt lorsqu'elles remarquent ma présence.

Si la grande Valérie me jette un bref coup d'œil désintéressé à travers ses lunettes noires, son adversaire, elle, ne m'accorde pas plus d'attention qu'aux simples pions sur le jeu.

Prenant mon courage à deux mains, j'avance vers leur table. Mes souliers collent au plancher, qui mériterait un bon coup de serpillière. J'arrête brusquement de marcher quand, à cause du bruit de succion produit par chacun de mes pas, Chloé se retourne vers moi. Un air légèrement irrité déforme son visage d'ordinaire si angélique.

— Tu ne vois pas qu'on essaie de se concentrer? me demande-t-elle avec son accent français qui me fait perdre mes moyens.

— Euh...

C'est tout ce que je réussis à dire avant de me figer comme une statue... ou plutôt comme une tour qui serait bloquée par une autre pièce. Je tente de me rassurer. Son ton n'était pas vraiment méchant, juste teinté d'une légère impatience.

— Qu'est-ce que tu fais? Tu viens ou tu restes là?

— Euh... Je... viens...

Les deux filles me considèrent d'un œil amusé.

— Tu joueras contre la gagnante.

Derrière le sourire sans doute trop intense que j'affiche, je résiste à l'envie de fuir à toutes jambes. Je m'assois à la table juste à côté de la leur. Chloé fronce les sourcils lorsqu'elle remarque que mes mains tremblent. Que va-t-elle penser de mon visage probablement cramoisi si je me fie à la chaleur qui m'envahit de plus en plus ? Heureusement pour moi, elle détourne son regard – d'un bleu profond – et reprend la guerre entamée entre la grande Valérie et elle. Déjà, c'est comme si je n'existais plus. Leur attention se focalise sur la partie en cours. Je devine qu'elles sont de force égale. Il reste autant de pièces noires que de blanches encore debout. Les deux adversaires demeurent aussi muettes qu'immobiles pendant un moment. Je soude mon regard à ce jeu d'échecs en bois. D'habitude, quand je suis loin de ma petite Française, je ne peux m'empêcher de contempler sa peau laiteuse et sa nuque délicate. Mais présentement, assis à ses côtés, je me sens incapable de la regarder. J'espère qu'elle n'entend pas les battements de mon cœur contre ma cage thoracique.

Lorsque sa reine dévore le fou de son adversaire, Chloé lève les bras en l'air :

— Échec et mat ! s'exclame-t-elle.

Le sort de la perdante, qui dissimule à peine une moue déçue, s'est joué en quelques secondes. Son roi s'agenouille devant la pièce la plus puissante du jeu.

— Ça me surprendrait que tu puisses la battre, mais bonne chance quand même ! Et fais attention à sa reine, c'est toujours avec cette pièce qu'elle gagne, me lance la grande Valérie avant de libérer sa chaise.

Et voilà : le trac me saisit à la gorge. Alors que d'autres garçons moins timides sauteraient sur l'occasion, moi, je ne bouge pas d'un centimètre. J'ose un œil sur la gagnante ; elle me fixe avec un petit sourire en coin.

— Alors, tu veux m'affronter ?

Avant que j'aie le temps de répondre, la cloche annonce la fin de la pause du midi. Chloé bondit de sa chaise et se dirige vers la sortie. Puis, à la dernière seconde, elle se tourne vers moi, une lueur de défi dans le regard :

— Tu reviens demain ?

Au lieu du cri de joie que je retiens de toutes mes forces, je formule un simple « oui » hésitant.

Chloé disparaît de ma vue, mais pas de ma tête, où de nombreuses images d'elle défilent comme autant de papillons qui ne quittent pas mon estomac du restant de la journée.

Quand je raconte mes exploits à Benoît, il me félicite chaleureusement. Il en oublie même de regarder son iPod, c'est tout dire !

— Enfin ! Le *geek* fait un homme de lui ! clame-t-il.

— J'essaie, en tout cas...

— Le plus dur est passé. Tu vois : tu lui as parlé et tu n'es pas mort.

En prononçant ce dernier mot, il se laisse mollement tomber sur l'herbe, comme s'il était justement en train de mourir.

Bien entendu, je ne dors pas de la nuit, fébrile à l'idée de cette partie d'échecs qui, dans mon imaginaire et au fil des heures, ressemble de plus en plus à un rendez-vous galant.

* * *

Le lendemain, je n'entends rien de ce que raconte l'enseignante de français, c'est comme si elle nous parlait en chinois. Mon esprit ne cesse de rejouer en boucle l'instant où Chloé m'a invité à jouer avec elle. Le temps file et je suis de plus en plus fébrile. Le pion ressemble désormais au fou. Pourvu que je n'aie pas l'air aussi idiot qu'hier !

À midi, c'est à grandes enjambées que je me rends au local du club d'échecs. La porte est verrouillée. J'ai beau cogner, mais personne ne répond. En collant mon oreille, je ne perçois aucun son de l'autre côté.

J'attends, en vain.

Quand la cloche stridente nous impose la reprise des classes, je suis toujours seul et déçu. Pourquoi Chloé n'est-elle pas venue comme prévu ? J'avais peut-être mal compris ses paroles…

Heureusement, le soir venu, Benoît m'apprend une bonne nouvelle:

— Devine qui vient d'être engagée au garage de mon père?

Comme je ne réponds pas, il m'annonce, sourire en coin:

— En tout cas, ta Chloé est vraiment belle...

Même si je devine qu'il blague, je le foudroie du regard. Voyant que je mords à l'hameçon, il renchérit en mimant un baiser langoureux:

— Quelle bouche! Et ses longues jambes... Ouf!

— Arrête de dire des niaiseries! Chloé travaille au garage?

— Oui, comme caissière, plusieurs soirs par semaine, jusqu'à minuit. Un drôle de hasard, non? Si j'étais toi, j'en profiterais pour aller faire le plein.

En disant cela, il s'approche de mon vélo et imite un pompiste légèrement blasé. Puis, après quelques secondes, il redevient sérieux:

— C'est plutôt tranquille après 19 h... Vraiment, tu devrais lui rendre visite.

Au fil des jours suivants, j'en viens à la conclusion que c'est une bonne idée. En effet, je ne la vois plus dans la cour d'école et, comble de malheur, le club d'échecs a fermé ses portes, dû au nombre trop restreint de participants. C'est donc pour ça qu'elle ne s'était pas présentée l'autre midi.

Qu'à cela ne tienne, je dépoussière le jeu que m'avait donné mon grand-père il y a quelques années. Il a l'air massif, mais je ne le trouve pas si lourd que ça. Je pense que Chloé va aimer le vert foncé des pièces. Ses vêtements sont souvent de cette couleur-là.

Dire que je n'y ai jamais joué! Avant Chloé, ça ne m'intéressait pas du tout.

C'est maintenant mon prétexte. J'irai lui proposer une partie à son travail.

Encore faut-il que je m'exerce un peu. Elle gagnera assurément, mais j'aimerais au moins ne pas perdre dans la première minute. Meilleur je serai, plus longtemps je pourrai être avec elle. Sinon, je ne trouverai pas les mots pour avoir l'air aussi intelligent que les autres gars, ceux plus *cool*. Je laisserai donc les pièces parler à ma place, et le jeu d'échecs deviendra notre discussion.

Pendant quelques jours, je joue contre moi-même et surtout, je tente d'élaborer diverses stratégies pour piéger ma prochaine adversaire. Plus les jours passent et moins je me sens prêt. Ce maudit trac s'installe de plus en plus en moi. Chloé voudra-t-elle me laisser ma chance?

Pour tester mes apprentissages, j'affronte Benoît qui, visiblement, n'a pas dû jouer souvent. Chaque fois que je remporte la victoire, je lui explique de quelle manière j'y suis parvenu.

— Tu es vraiment bon... Il ne te reste plus qu'à l'être autant avec elle. J'espère que tu gagneras.

Avec cette dernière phrase, je sais qu'il ne fait pas seulement allusion à la partie.

Un soudain relent de courage chassant toute trace de ma timidité, je décide que c'est le moment où jamais.

Le jeu d'échecs dans mon sac à dos, j'enfourche mon vélo, tel un cavalier sur le point de surprendre la reine, et je roule jusqu'au garage du père de Benoît, un espoir grandissant au ventre.

Quand j'aperçois Chloé, un doute faible, mais tout de même bien présent, me revient. Et si elle ne s'intéresse pas du tout à moi?

Un air ennuyé au visage, la reine regarde dehors à travers la grande fenêtre de devant. Heureusement, le lampadaire au-dessus de ma tête ne fonctionne pas, sinon elle me verrait dans la cour déserte. Je me cache dans le fossé en attendant d'être prêt. Prêt à lui parler et à lui proposer, sans bégayer, une partie d'échecs.

Je fais quelques pas hors de ma cachette. À ma gauche, je remarque une ombre qui se déplace rapidement. Quelqu'un arrive devant le garage. La personne ne perd pas de temps pour entrer rejoindre Chloé. Ma Chloé saute au cou du nouvel arrivant. Je ne parviens pas à l'identifier: il est encapuchonné. Je détourne le regard quand ils s'embrassent.

Je repars, en marchant à côté de mon vélo. La tête basse, je m'en veux de ne pas avoir agi plus tôt. À cause de ma peur du rejet, un autre l'a séduite avant moi.

* * *

Quand je raconte à Benoît ce qui s'est passé au garage de son père, il hausse les épaules avant de me dire :

— Tu ne pouvais pas savoir qu'elle voyait quelqu'un. Mais est-ce que ça t'empêche de la revoir ? Penses-tu vraiment que ce sera l'homme de sa vie ? Regarde mon père : combien de fois s'est-il remarié ?

Quand je repense aux paroles de mon ami, l'espoir repousse la déprime qui m'habite depuis quelques jours.

Aujourd'hui, à l'école, j'aperçois enfin Chloé dans la cour. Même de loin, je remarque la joie qui fait rayonner son visage. Son mystérieux visiteur la rend donc si heureuse !

Suis-je de taille, avec le vieux jeu d'échecs de mon grand-père ? Pour les grands timides comme moi, il devrait exister un mode d'emploi pour savoir comment s'y prendre avec les filles.

Que cette maudite frousse aille au diable, je vais parler à ma petite Française. Au fond, je n'ai rien à perdre. Elle est assise seule sur un banc isolé. C'est parfait, comme ça, il n'y aura pas une foule pour se moquer du fou du roi.

Plus j'approche, plus mon cœur bat fort. En me concentrant, je parviens au moins à contrôler le débit de ma voix :

— Salut, Chloé ! Je ne sais pas si tu te souviens de moi...

On dirait qu'elle ne m'a pas vu marcher vers elle, car elle sursaute. Rêvassait-elle à son amoureux?

Après un bref instant où elle fronce les sourcils, une lueur illumine ses yeux :

— Ah oui! C'est toi, l'autre jour, au club d'échecs.

— Je me demandais... Euh... Es-tu toujours partante pour une partie d'échecs?

Un sourire embellit ses lèvres :

— Pourquoi pas? Mais le club est fermé.

— Euh... Oui... Je pourrais passer à ton travail, le soir, c'est tranquille.

Elle se raidit. Son sourire est avalé par un masque glacial.

— Quoi? Comment sais-tu où je travaille?

Mes jambes faiblissent, je voudrais fondre, disparaître sous cet asphalte gris. Malgré ma gorge qui se serre, je parviens à formuler une explication :

— C'est que... euh... ton patron, c'est le père de mon ami.

— Ah! Tu parles de Benoît?

— Tu le connais?

Je ne sais pas quel air j'affiche ni sur quel ton j'ai posé ma question, mais elle éclate de rire. Pendant un moment, j'envisage la possibilité que Benoît soit son amant. Non, il ne me jouerait pas ainsi dans le dos.

— Si tu te voyais! Je ne sais pas trop ce que tu t'imagines, mais j'ai entendu parler de lui. C'est tout, dit Chloé.

Plus détendue, elle me sourit à nouveau :

— Te sens-tu vraiment prêt à m'affronter? Mais pas au garage. Si mon patron arrivait... Viens plutôt chez moi. Demain soir, je ne travaille pas.

J'accepte son invitation, en faisant de mon mieux pour dissimuler ma joie.

Le lendemain soir, cette fébrilité pétille encore dans mon ventre. Quand Chloé ouvre la porte, elle semble heureuse de me voir.

— Oh! Il est très beau! s'exclame-t-elle devant mon jeu.

Nous nous installons dans son salon aux murs peints en rouge. Les nombreux coussins disposés sur le plancher de bois franc sont confortables. Pendant que nous plaçons nos pièces sur l'échiquier, on cogne à la porte.

— Mon amour! dit Chloé lorsqu'elle y répond.

Je ne peux m'empêcher d'aller voir. Je demeure figé de longues secondes en reconnaissant la personne encapuchonnée qui embrasse ma petite Française.

— Ah, mais c'est mon pyromane préféré! rigole Josée.

Je perçois toutefois une pointe de malaise dans sa voix. Je feins la même bonne humeur que d'habitude, malgré l'effet de surprise qui me reste coincé en travers de la gorge.

— Bonjour, la huileuse ! Euh... Josée.

Contente de ne pas avoir à faire les présentations et, surtout, que je semble déjà à l'aise avec Josée, Chloé l'invite à se joindre à nous au salon.

Comme je le prévoyais, celle-ci gagne sans difficulté la première partie, avec sa reine. Pendant qu'elle se retire aux toilettes, Josée s'approche de moi pour chuchoter :

— S'il te plaît, n'en parle pas à mon père.

Au fond de son regard, je lis une crainte profonde.

— Euh... OK. Benoît est-il au courant ?

— Pas encore.

Je me rends compte que, même si je trouve leur père sympathique, je le connais bien peu finalement. À voir l'expression de supplication de Josée, il ne doit pas être très ouvert à l'homosexualité.

— Je n'en parlerai pas. Promis.

Je réalise que c'est la première fois qu'une fille me demande un service aussi important. C'est un peu comme si j'étais responsable de la suite des choses, pour elle.

— Vous en faites une tête ! Il y a un problème ? nous demande Chloé que nous n'avions pas vue revenir.

— Pas du tout... La hui... euh... Josée me demandait si elle pouvait jouer contre le gagnant de la prochaine partie.

J'envoie un clin d'œil à Josée, qui me remercie d'un sourire. Je me tourne ensuite vers la reine des échecs.

— Mais ça me surprendrait que ce soit contre moi qu'elle joue.

Au fil de la soirée, j'apprends à connaître davantage Chloé, c'est-à-dire la personne habitant ce que je voyais jusqu'à maintenant : ce corps que je trouve beau. Elle est drôle, allumée et un peu impatiente lorsqu'elle est près de perdre. Après la déception du début de la soirée, je me remets peu à peu, au fil de mes défaites aux échecs, de ce qui ne s'avère, avec le recul, pas du tout un rejet. Après tout, même si, avant ce soir, je lui avais parlé de mes sentiments, elle m'aurait expliqué pourquoi je ne l'intéresse pas en tant que *chum*, et ça n'a rien à voir avec moi... La reine ne cherchait tout simplement pas de roi pour être à ses côtés, mais une autre reine. En tant qu'ami, toutefois, je lui plais beaucoup, si je me fie à ses accolades amicales. Sur l'échiquier, Josée et moi ne réussissons pas à conquérir son trône, même en nous partageant des trucs et des stratégies complexes.

— En tout cas, je comprends maintenant pourquoi mon frère te considère comme son meilleur ami, me dit la huileuse. Tu es vraiment un bon gars.

— Et très mignon, en plus, ajoute Chloé. Tu dois avoir des tas de copines.

Je baisse les yeux, intimidé par la question. Je n'ai même pas besoin de répondre, elle comprend :

— Allons, ne fais pas cette tête. Je te présenterai une de mes amies. Elle aime bien jouer aux échecs et je sais qu'elle n'a pas d'amoureux.

J'ouvre la bouche, surpris.

— Tu lui plairas, j'en suis sûre. Elle cherche justement à rencontrer un bon gars.

— Euh... merci.

— Quel genre de fille aimes-tu ?

J'hésite un moment, sentant mes joues rougir.

— Euh... Je ne sais pas... Un peu comme toi.

Pendant quelques secondes, je suis un peu mal à l'aise de lui avoir avoué ça. Une lueur passe dans ses yeux. Elle a deviné que ce ne sont pas vraiment les échecs qui m'ont conduit vers elle. Elle me rassure aussitôt d'un sourire chaleureux.

— Elle te plaira, alors. Avec elle, tu auras plus de chance de gagner la partie.

LAURENT CHABIN

Le déclic

Je n'arrive plus à dormir. Dès que je crois sombrer dans le sommeil, après m'être retourné cent fois dans mon lit, le même cauchemar revient avec plus de force. Ce cauchemar de haine et de sang. De peur…

J'ai l'impression que je ne dormirai plus jamais. J'ai l'impression que je n'ai jamais dormi.

Pourtant, ça ne fait même pas une semaine que c'est arrivé. Qu'est-ce que c'est qu'une semaine, dans une vie? Pas grand-chose. Rien? Pour les autres, peut-être. Mais pour moi, c'est comme un siècle. Un siècle d'angoisse, un siècle de hantise. Un siècle de honte…

C'était samedi dernier, à Verdun, de l'autre côté du canal. Il faisait encore beau. Peut-être un des derniers jours de beau temps avant l'hiver. J'ai eu envie d'en profiter et j'ai décidé d'aller marcher jusqu'au bord du fleuve. Il restait une bonne heure avant la tombée de la nuit. Mes parents recevaient des amis et ils ont presque eu l'air contents de me voir disparaître pour la soirée.

J'ai franchi le canal de Lachine par la passerelle du marché Atwater, dans l'intention de descendre le boulevard Lasalle jusqu'au fleuve. J'ai traîné un bon moment sur les berges, en face de l'île des Sœurs. Puis, comme le soleil se couchait, j'ai décidé de rentrer.

Étais-je perdu dans mes pensées? Était-ce un effet de l'obscurité naissante? Je ne sais pas, mais tout à coup, après une série de ponts sous lesquels je suis passé presque sans m'en rendre compte, je me suis aperçu que je me trouvais dans la rue d'Argenson.

L'endroit était sinistre. Pas une maison, pas un brin d'herbe. La rue était encaissée sous la maçonnerie des ponts et me paraissait étouffante. Un dernier tunnel passait sous le chemin de fer. Je l'ai franchi d'un pas vif, mal à l'aise, oppressé par l'aspect sinistre de la rue.

À peine avais-je débouché de l'autre côté qu'un cri, provenant de ma gauche, a attiré mon attention. Il n'y avait là qu'une sorte de terrain vague. La lumière de l'éclairage public ne se rendait pas jusque-là, et l'endroit était plongé dans l'ombre.

Je me suis immobilisé, scrutant l'espace en vain. Un autre cri a retenti. Un cri de fille. Et pas un cri de joie… Cette fois, j'ai aperçu un groupe qui s'agitait contre le talus qui borde le chemin de fer. Étaient-ils trois, quatre? Je les distinguais mal. J'ai avancé d'un pas. Oui, ils étaient trois. Deux garçons et une fille.

J'ai entendu le bruit étouffé d'un coup porté avec force. La fille s'est effondrée sur le sol. Un des garçons l'avait frappée violemment. L'autre s'est précipité et l'a immobilisée sur le dos en posant un genou sur son épaule, puis il a placé une de ses mains sur sa bouche pour l'empêcher de crier de nouveau.

Ce qui a suivi n'est pas très difficile à deviner. Je n'ai plus entendu que des gémissements et des halètements. Je ne voyais plus grand-chose, si ce n'est le dos de celui qui s'était allongé sur la fille, que l'autre maintenait toujours en la bâillonnant sauvagement. Dans le noir, impossible de distinguer leur visage.

J'aurais dû intervenir. Tout ce que j'avais appris me disait que je devais intervenir, que je ne devais pas rester passif. Au moins courir, appeler, crier, alerter des passants…

Mais je n'ai pas pu. J'étais pétrifié, paralysé par la peur. Non pas une peur panique qui m'aurait fait détaler en hurlant, mais une peur profonde, glaciale, qui m'avait transformé en statue de pierre. Je ne pouvais ni fuir ni m'interposer.

D'où je me trouvais, ils ne pouvaient pas me voir. J'étais à demi dissimulé par le talus, au sortir du tunnel. Protégé, en quelque sorte. Et j'ai laissé cette fille se faire battre et violer sans bouger, sans même émettre le moindre son.

Puis le premier garçon s'est relevé et l'autre a pris sa place. La même scène a recommencé. Une violente nausée s'est alors emparée de moi. J'ai vomi sur le trottoir. Et j'ai enfin pu me libérer de cette paralysie qui m'avait maintenu dans le rôle de spectateur passif et horrifié.

Je ne suis pas allé porter secours à la victime pour autant. Au contraire, aussitôt que j'ai retrouvé mes esprits et l'usage de mes jambes, ç'a été pour m'enfuir. J'ai rebroussé chemin, je suis repassé sous les ponts et j'ai enfin retrouvé le boulevard Lasalle. Et plus je courais, plus la honte croissait en moi. Plus mon affolement se calmait, tandis que je m'éloignais du lieu du crime, plus cette honte atroce prenait la place laissée vacante.

Je suis arrivé chez moi en sueur, épuisé par ma peur, et rouge de cette honte qui l'avait remplacée. Mes parents se trouvaient au salon avec leurs invités, des amis à eux, et ils n'ont même pas jeté un regard dans ma direction. J'ai filé directement dans ma chambre, sans prendre la peine d'aller les saluer, et je m'y suis enfermé. Je ne suis même pas passé dans la salle de bains. Je ne voulais pas risquer de voir mon visage dans le miroir...

Le lendemain, j'ai dit que j'étais malade. Et c'était vrai : j'étais malade. Malade d'angoisse. Toute la nuit, je m'étais repassé la scène du viol comme un film en boucle. La peur, en fait, ne m'avait pas quitté. Au contraire, elle avait augmenté.

La fille, je n'avais pas vu son visage, et sa silhouette ne me disait rien. Les deux garçons, en revanche... Je n'avais pas pu distinguer leurs traits mais, en y repensant, j'en venais à me demander si leur allure générale ne me rappelait pas quelqu'un.

Tout avait été très bref, pourtant. Mais, sous l'effet peut-être de la panique qui revenait, l'image des deux violeurs se précisait. Étais-je en train de fabuler ? Étais-je en train de m'inventer des souvenirs, comme les victimes d'abus sexuels le font parfois sous l'influence de psychologues peu honnêtes ?

Je n'en sais rien mais, peu à peu, je me rendais compte que les silhouettes des deux violeurs prenaient un visage. Deux garçons de la même école que moi, la polyvalente de Saint-Henri. Deux grands de quatrième secondaire, donc plus âgés que moi. Sur le moment, j'avais pensé qu'ils ne m'avaient pas vu, tout occupés qu'ils étaient à leur sale besogne. Mais était-ce certain ? L'un d'entre eux au moins, en se relevant ou en se retournant, ne m'avait-il pas aperçu ? Reconnu ? Comment savoir ?

Au matin, ma décision était prise. Je ne pouvais pas retourner en classe. Mon père n'a rien dit. Comme d'habitude. Ma mère m'a regardé un peu tristement, et je n'ai pas pu comprendre ce qu'elle éprouvait vraiment en me dévisageant ainsi, mais elle n'a rien dit non plus. Nous ne sommes pas une famille de bavards. Entre nous, je veux dire. Chez nous, c'est la maison du silence. Avant de partir à son tour pour le travail, elle m'a simplement recommandé de rester au lit et de me reposer.

Ma journée a été atroce. La crainte d'être obligé, tôt ou tard, de retourner à l'école me taraudait. Et si les deux violeurs décidaient de me casser la figure, à moi aussi ? Pour « m'apprendre », pour « me faire taire » ? La peur ne me lâcherait donc jamais ?

Je me voyais battu par les deux voyous, à coups de pieds, à coups de poing, allongé sur le sol, le visage dans la boue. Je devais promettre de ne jamais rien dire de ce que j'avais vu dans la rue d'Argenson. Au moindre mot, disaient-ils, ils me retrouveraient et me feraient passer le goût de me mêler de ce qui ne me regardait pas.

Voilà ce que j'ai ressassé toute la journée, allongé dans mon lit, à l'abri sans doute illusoire de mes couvertures. Et, à ma grande honte je l'avoue, pas une seule fois je n'ai eu une pensée pour cette fille qui s'était fait violer presque sous mes yeux sans que je lève le petit doigt...

Je le savais à présent : la honte et la peur seraient désormais les deux compagnes exclusives de ma vie, de ma vie de cloporte minable et effrayé.

Le lendemain, ma mère a semblé s'inquiéter réelle-ment de mon état. Elle s'est assise un instant sur le bord de mon lit et elle m'a interrogé à voix basse, non sans une certaine douceur. Elle a vite compris que ma « maladie » n'avait rien à voir avec un quelconque virus ou une intoxi-cation alimentaire, comme elle l'avait peut-être pensé au départ. Elle a parlé de psychologue.

Là, je me suis raidi. Un psychologue ? Qu'est-ce que ça voulait dire ? Qu'on allait me questionner, qu'on allait me faire avouer que j'avais assisté à une scène terrible et que je n'avais rien fait ? Non, ce serait pire. L'histoire ferait le tour du quartier, de l'école, mes camarades me traiteraient de poltron et de pissou. Je serais méprisable et ignoble pour les filles, ridicule aux yeux de tous, et les deux autres me retrouveraient et me feraient passer le goût de parler. Non, un psychologue, c'était la fin de tout.

Je ne voyais qu'une solution. Je devrais vivre avec ma peur. Sans aide extérieure. Je devrais la gérer, la digérer. Seul.

J'ai prétendu que je me sentais mieux et que, dès le lendemain, je retournerais à l'école. Ma mère a posé la main sur mon front. Il était encore un peu chaud. Elle a légèrement haussé les épaules et m'a apporté un comprimé contre la fièvre.

Le jour suivant, la mort dans l'âme, je me suis rendu à la polyvalente. Je n'ai parlé à personne. Et, surtout, je n'ai regardé personne. Je suis resté muet en classe – ce qui ne me changeait pas beaucoup, je dois le dire – et pendant les pauses entre les cours, je suis allé m'asseoir dans un coin, sans lever les yeux du bout de mes chaussures.

À la dérobée, j'ai repéré quelques garçons de quatrième secondaire dont la silhouette correspondait plus ou moins à celle des agresseurs, mais je n'étais sûr de rien. Ils n'ont d'ailleurs pas semblé remarquer ma présence. Je ne pouvais évidemment pas regarder une fille en face. J'avais trop honte. J'étais persuadé que la première qui planterait ses yeux dans les miens y lirait comme dans un livre et comprendrait tout en une fraction de seconde...

La semaine a passé ainsi. J'ai vécu dans l'ombre comme une coquerelle, appréhendant de tomber sur un des grands de quatrième dans un couloir ou dans la rue à la sortie de l'école. Avec la crainte de devoir parler à une fille, la crainte qu'elle me perce à jour et se mette à hurler en me traitant de lâche et de chacal. Avec la crainte de m'effondrer soudain, n'en pouvant plus de porter seul le poids de ce secret.

Et la nuit, quand enfin j'aurais pu me reposer, c'est comme si je revivais encore et encore la scène, sans pouvoir jamais changer mon rôle, celui du spectateur impuissant.

* * *

Le cauchemar m'a poursuivi pendant des semaines. Et puis, petit à petit, voyant que personne ne me reprochait quoi que ce soit, constatant qu'aucun de ceux qui me terrorisaient sans le savoir n'esquissait le moindre geste contre moi, je me suis calmé et mon existence est redevenue normale. Ou presque. Car je sais maintenant ce que je suis. Un lâche. Et je dois vivre avec...

Parfois, pourtant, je vais marcher seul dans les rues la nuit. Pourquoi? Est-ce le désir de me punir moi-même? Peut-être. Je n'en sais rien, dans le fond, mais c'est plus fort que moi. Certains soirs, c'est comme une pulsion incontrôlable qui s'empare de moi. Il faut que je sorte...

Aujourd'hui, par exemple. L'automne est presque terminé et il fait nuit de bonne heure. D'habitude, je vais errer le long du canal de Lachine, mais ce soir, mes pas m'attirent vers l'énorme structure de l'échangeur Turcot.

Contrairement au reste de Saint-Henri, qui est rénové à une vitesse surprenante, cette partie du quartier est encore en majorité composée de bâtiments vétustes, et de nombreuses vitrines sont cassées ou maculées de graffitis. Paysage d'après-guerre. L'éclairage public est lui-même déficient.

La rue Saint-Ambroise, que je prends en direction de l'ouest, est bordée de terrains vagues et d'anciennes usines plus ou moins désaffectées. Qu'est-ce qui me prend de m'aventurer dans un lieu aussi sinistre ?

Je le devine, en fait, davantage que je ne le comprends. La peur, une fois encore. Mais la peur que, cette fois, j'essaie d'apprivoiser, de surmonter. Si je ne le fais pas maintenant, jamais plus je n'arriverai à vivre.

La rue est sombre et déserte. À droite, un vieux garage, fermé depuis longtemps. À gauche, les ruines de l'ancienne usine de Canada Malting. Ce décor d'apocalypse est angoissant. Au niveau de l'écluse, je tourne à gauche et je m'engage dans le sentier qui mène au canal. L'endroit n'est pas éclairé du tout.

Lorsque je débouche enfin devant l'écluse, troublé par cette atmosphère oppressante, je n'ai plus qu'une envie : rentrer chez moi. C'est alors que je les vois. Ils étaient dissimulés dans les taillis qui bordent la clôture interdisant l'accès à l'usine. Tandis que je hâte le pas pour les éviter, ils se plantent devant moi, moqueurs.

— Alors, Zach, on n'a pas peur, comme ça, tout seul dans le noir ?

Je les connais. Deux types de la polyvalente. En troisième secondaire, je crois. Ils sont plus âgés et plus grands que moi. Je me déporte sur la droite, mais ils m'imitent. Ils ne me laisseront pas passer. J'essaie la gauche, mais cette fois ils me serrent contre la clôture. Le plus grand me pousse brutalement.

J'étouffe un cri et me liquéfie littéralement. Les larmes me montent aux yeux. Mes agresseurs s'en rendent compte et ils se mettent à rire. Puis le deuxième me donne un coup sur le bras, et un autre sur la poitrine. Je me retourne pour me protéger, son complice en profite pour me jeter au sol.

Cette fois, c'en est fait de moi. Je voudrais crier, mais ma voix reste désespérément coincée au fond de ma gorge. Les coups de pieds commencent, m'atteignant aux côtes, aux cuisses. Je tente d'abriter mon visage avec mes bras. Je dois ressembler à un de ces mille-pattes qui se roulent en boule et font le mort dès qu'on les touche…

C'est alors qu'une voix retentit :

— Laissez-le !

Une voix féminine. Mais ferme, assurée. Mes deux assaillants se retournent. Je profite du répit pour jeter un coup d'œil. Une fille se tient à quelques pas, bien campée sur ses jambes. Elle n'est pas très grande et n'a pas l'air très costaude. Mais elle paraît sûre d'elle. Les deux types ricanent. L'un d'eux lui lance :

— Qu'est-ce qu'elle veut, la morveuse ?

La fille ne répond pas. Je la vois glisser le bras lentement dans son dos et soulever légèrement son blouson de cuir. On dirait qu'elle cherche à saisir quelque chose. Un couteau ?

Le geste n'a pas échappé aux deux types. Le plus petit, instinctivement, recule d'un pas. Il a l'air beaucoup moins sûr de lui, tout d'un coup. La fille s'avance alors, sans sourciller, l'air volontaire et menaçant. Le plus grand hésite un instant, mais il ne recule pas et se met en garde. Son acolyte, rassuré, se place à ses côtés. La fille s'arrête et les toise.

— Laissez-le partir, lâche-t-elle. Deux contre un ? Vous êtes ridicules !

— On va voir si tu vas rire longtemps, réplique le grand avec un ricanement.

Sur ces mots, il s'avance à son tour. Je suis pétrifié. Je me trouve toujours à terre. Cette fille a voulu m'aider, et moi je suis là comme une loque, n'osant même pas me relever. Pourquoi ne fuit-elle pas ?

Non, elle ne s'enfuit pas. Les deux voyous sont pratiquement sur elle. Est-ce qu'ils vont la violer après l'avoir battue ? Le souvenir de la scène de la rue d'Argenson me revient brutalement. C'est trop ! Si je les laisse faire, jamais plus je ne pourrai me supporter moi-même. C'est comme un déclic. Comme si, enfin, je me réveillais d'un long sommeil. Sans réfléchir, je me redresse d'un bond et je hurle à mon tour :

— Laissez-la !

Les deux garçons se retournent, surpris. La fille en profite pour lancer violemment son pied dans l'entrejambe du plus grand, qui tombe à genoux en gémissant. Comme j'arrive sur lui, je le frappe à mon tour, de toutes mes forces, au visage.

Son complice panique et s'enfuit avant même que son camarade ait pu se relever. La fille m'attrape alors par le bras et m'entraîne vers une zone mieux éclairée, près de l'écluse. Hébété, je la suis sans pouvoir dire un mot. Lorsque je me retourne enfin, les deux types ont disparu dans la nuit.

Je prends enfin le temps de regarder cette fille qui vient de me tirer d'un mauvais pas. Plus âgée que moi. Pas très grande, pas très grosse, pas très jolie. Je me rends compte que je la connais. Du moins l'ai-je déjà vue dans le quartier, elle n'habite pas très loin de chez moi. Je sais qu'elle s'appelle Sara. Je bredouille :

— Je te remercie, Sara. Tu m'as sauvé la vie.

— La vie ? Tu exagères un peu. Tout au plus je t'ai évité quelques coups.

— Tu as pris des risques, tout de même. J'admire ton courage.

— Mon courage ?

Sara fait la moue.

— Je ne sais pas si c'était du courage. Un peu de bluff, sans doute. Mais tu sais, s'ils avaient été plus nombreux, si je ne n'avais pas été de mauvaise humeur, peut-être que je me serais sauvée moi aussi. Sûrement, même. Je suis assez trouillarde, dans le fond. Prudente, en tout cas.

— Moi, j'ai toujours eu peur. Peur de tout. J'ai même peur d'avoir peur. Ils auraient aussi bien pu me tuer, je n'aurais pas réagi.

— Tu pousses un peu, là. Ces types ne t'auraient pas tué. Ce sont deux minables. Deux contre un, plus petit qu'eux, ce sont des minables. Eux, ils ne savent pas ce que c'est, le courage. Ils le redoutent, au contraire. Ils sont effrayés par le courage des autres. Avec des nuls pareils, il suffit de faire semblant.

Je comprends soudain quelque chose.

— Tu n'as pas de couteau ?

— Non. Je le leur ai fait croire. Souvent, ça suffit.

— Tu n'as pas eu peur ?

— Bien sûr que j'ai eu peur. C'est sain, d'avoir peur. Ça évite bien des ennuis. Simplement, parfois, je la surmonte, ma peur.

Je soupire.

— Ce n'est pas toujours facile.

— Je n'ai pas dit que c'était facile.

Je hoche la tête. C'est bon, en tout cas. Je crois que ce soir j'ai compris quelque chose.

MARTINE LATULIPPE

Trouver le Monstre

Le réveil sonne. Déjà dix heures trente. J'ai fait la grasse matinée, après une soirée animée avec les copains hier soir. Heureusement, je n'ai pas de cours avant treize heures. Je me lève, l'esprit encore embrumé.

Dans la cuisine, ma mère boit distraitement son café, le regard fixé sur le téléviseur. Une bande qui défile au bas de l'écran m'informe du sujet de l'heure: une huitième victime retrouvée...

Ma mère murmure:

— C'est terrible, Charlotte... Ça n'arrêtera donc jamais!

Et elle se met à me répéter d'une voix affolée le compte rendu journalistique... Huit filles égorgées en à peine un mois. Toutes retrouvées dans des parcs de notre ville habituellement si tranquille. Il semble n'y avoir aucun lien apparent entre elles.

Le nez dans mes céréales, je me contente de grommeler un «hum» peu chaleureux de temps à autre. Je compatis de tout cœur avec les victimes, avec leurs familles, mais il devrait être interdit d'aborder de tels sujets avant un réveil complet, il me semble! Je n'ai qu'une envie: retourner dans mon lit, me réfugier sous les couvertures, ne plus entendre le bavardage incessant de ma mère qui décrit ces meurtres en série comme si on parlait d'un feuilleton télévisé aux multiples rebondissements.

Je me dépêche de finir mon petit-déjeuner, puis je bondis sous la douche. Me voilà prête. Je prends la voiture de ma mère, qui trouve cela plus prudent que de me voir attendre l'autobus seule, ce soir, puisque mes cours se terminent à vingt et une heures. Aux yeux de tous, la ville est devenue un endroit dangereux. Redoutable. Un territoire de chasse. Ça fait peur, tous ces meurtres, bien entendu. Mais je dois personnellement admettre que si je suis contente de faire le trajet en voiture, c'est surtout parce que je gagne une précieuse heure en ne prenant pas le bus.

Sur le pas de la porte, ma mère me répète au moins cinq fois: «Sois prudente!» Je finis par grommeler, ennuyée:

— Maman, je ne m'en vais pas en mission pendant des mois dans un pays ravagé par la guerre. Je pars pour quelques heures suivre des cours à l'université.

Elle m'adresse un sourire contrit, referme doucement la porte. Je sens qu'elle meurt d'envie de me lancer un dernier avertissement, mais mon ton grognon l'en a dissuadée.

Je m'en veux d'être si impatiente, mais les inquiétudes de ma mère m'exaspèrent parfois. Elle devrait cesser de lire les journaux. Regarder moins de séries policières. Elle a déjà tendance à trop s'en faire avec tout, cette histoire de meurtres en série est en train de lui faire perdre la tête. C'est devenu pratiquement son seul sujet de conversation.

Elle n'est hélas pas la seule à sombrer dans la peur. Je monte dans la voiture. Dès que j'allume la radio, la voix d'un animateur jaillit :

— *Celui que tout le monde appelle désormais le Monstre a de nouveau frappé cette nuit. Une autre victime a été retrouvée allongée sur un banc public. Les policiers n'ont toujours aucune piste et recommandent la plus grande prudence. Espérons qu'on trouvera le Monstre au plus...*

J'éteins d'un geste brusque, souhaitant qu'ils l'attrapent rapidement, en effet, et que la vie reprenne son cours normal. J'aimerais bien entendre parler d'autre chose à mon réveil. J'aimerais aussi que la une des journaux ne soit pas consacrée à ces meurtres tous les matins. Qu'on retrouve la bonne vieille ville bien calme, où personne ne se sent jamais menacé.

Selon mon habitude, je gare la voiture de ma mère à quelques rues du campus. Je n'ai pas de vignette de stationnement, puisque je viens en autobus les trois quarts du temps, et la soirée d'hier a sérieusement entamé mon budget. Pas assez de sous pour un horodateur aujourd'hui. Je me stationne toujours dans cette petite rue résidentielle, à dix minutes à peine de marche du pavillon où je suis la plupart de mes cours. Pratique et gratuit. Que demander de plus ?

Je file à mon premier cours. J'y reste de treize heures à seize heures, puis me dirige vers la cafétéria. Tout le monde a le même sujet sur les lèvres. La fille derrière moi, que je n'ai jamais vue de ma vie, me fait la conversation en attendant que nous passions à la caisse. Elle pointe la première page du *Journal de Québec* :

— Ils en ont trouvé une autre la nuit dernière... Ça fait peur, hein ? J'espère qu'ils vont l'attraper !

Je me contente de grommeler :

— Hum hum...

Devant mon peu d'enthousiasme, la fille n'insiste pas pour poursuivre la discussion. Fiou. Surtout, ne pas me laisser contaminer par l'hystérie collective.

Ça fait peur, mais on ne règle rien en imaginant sans cesse le pire et en donnant à ce Monstre la visibilité que de toute évidence il souhaite, puisqu'il ne tente même pas de camoufler le corps de ses victimes. Au contraire, il les laisse toujours allongées sur un banc de parc, bien à la vue, comme pour narguer les policiers. Toutes des filles, plutôt jolies, dans la jeune vingtaine. Ça fait peur. Oui. Mais en parler sans arrêt ne risque pas d'arranger quoi que ce soit.

Avec un soupir, je me rends à mon dernier cours du jour, de dix-huit à vingt et une heures. J'ai toujours hâte à ce cours, puisque Naomie, une de mes meilleures amies, le suit avec moi. Je me dirige droit vers la table qu'elle occupe, au fond à gauche. La tête penchée, elle lit attentivement le journal du jour. Elle me salue distraitement quand je me glisse sur la chaise à ses côtés et me demande aussitôt :

— Tu as vu ça ?

C'est reparti ! Après ma mère, la télévision, la radio, l'inconnue de la cafétéria… pas moyen d'y échapper, décidément !

— Tu n'aurais pas envie de parler d'autre chose, Nao ?

Elle déclare d'un ton sentencieux :

— On ne doit pas fermer les yeux, Charlotte. Ça peut arriver à n'importe qui. On est toutes des victimes potentielles, pour ce qu'on en sait.

Très rassurant ! J'ai beau tenter de rester imperméable à la peur qui s'installe partout, c'est de plus en plus difficile d'échapper à cette paranoïa collective. Surtout que Nao a raison : nous sommes des filles dans la jeune vingtaine, pile le portrait type recherché par le tueur… Surtout, ne pas s'affoler. Ne pas donner raison à ce Monstre qui fait frissonner toute une ville.

Je promène mon regard sur la classe. Changer de sujet. Ne pas paniquer. Nao rigole :

— Arrête de chercher ! Il n'est pas encore arrivé…

— De qui tu parles ?

Elle me jette un œil moqueur.

— Ton Roméo, bien sûr !

Elle ne peut s'empêcher de me taquiner sur ce grand brun qui est dans notre cours et que je trouve si beau…

Trop beau ! Je n'ai même pas eu le courage de lui adresser la parole, bien que la session ait commencé il y a plus d'un mois.

— Par contre, le *weirdo* est toujours le premier arrivé, continue Naomie en indiquant du menton un gars assis deux tables devant nous.

Il est étrange, il faut l'avouer. Physiquement, d'abord, avec ses cheveux lustrés parfaitement séparés au milieu, ses épaisses lunettes, ses épaules voûtées, son air renfrogné. Mais ça va au-delà du physique : il est toujours le premier assis dans la classe, le premier reparti. Il n'adresse la parole à personne. Jamais. Au point où Nao et moi, on en a conclu qu'il est peut-être muet. Il a un regard froid, pour ne pas dire glacial, et semble incapable de sourire. Même par politesse. Toujours le visage fermé, sans émotion apparente.

Soudain, comme s'il se sentait observé, le *weirdo* tourne brusquement la tête vers nous. Je souris d'un air embarrassé. Il ne répond pas à mon sourire, se contente de braquer ses yeux dans les miens. En vitesse, je baisse la tête vers le journal de Nao. Mon amie murmure :

— Tu ne me feras pas croire que tu ne le trouves pas inquiétant, ce gars-là…

Je ne peux pas le nier. Je me contente d'un petit signe de tête. Naomie poursuit :

— Avoue qu'il a la tête des méchants dans les films américains ! Tu sais, le gars bizarre, antisocial, qui habite seul avec sa mère qui le contrôle totalement…

— On se calme, Nao... Pas sûre que les films américains représentent bien notre réalité. Ça m'étonnerait que tous les méchants se ressemblent. Ça se saurait!

Elle rit doucement.

Mon attention se tourne tout à coup vers la porte d'entrée de la classe. Roméo vient d'y apparaître, toujours aussi beau. Il s'assoit à une table devant, prend le temps de m'adresser un sourire avant de s'installer et de nous tourner le dos. Il faudrait bien que je me décide à lui parler un jour...

Je ne sais pas si c'est la fatigue d'une nuit trop courte à mon goût ou si le prof est excessivement endormant ce soir, mais le cours me semble interminable. Quand vingt et une heures sonnent enfin, je me lève immédiatement.

— Tu veux un *lift*, Nao?

À l'avant, le prof lance d'une voix forte:

— Juste un petit instant, mesdemoiselles et messieurs! J'aimerais bien rencontrer quelques-uns d'entre vous au sujet de votre travail long...

Il nomme quatre noms. Le dernier est celui de Naomie. Elle soupire:

— Non, vas-y, je prendrai le bus. Ça risque d'être long...

J'enfile ma veste, saisis mon sac et file vers la sortie. La soirée est relativement douce pour un mois d'octobre. J'avance d'un bon pas sur les trottoirs du campus. Mes bottes rythment ma marche. Je ne peux le nier: moi qui ai l'habitude de me vêtir d'un jean, d'un t-shirt et d'un chandail à capuchon, je porte un soin particulier à mes vêtements le vendredi. Au cas où le beau Roméo de notre cours, ou quel que soit son prénom, se décide à m'adresser la parole. Aujourd'hui, donc, jupe étroite et bottes longues. Tout ça pour à peine un sourire de Roméo...

J'entre dans le parc que je dois traverser pour me rendre à la voiture de ma mère. La noirceur est tombée depuis longtemps. Je regrette soudain de ne pas avoir stationné le véhicule plus près. Tant pis pour les économies... Quelques lampadaires percent la nuit ici et là, mais ils n'émettent qu'une faible lumière. Autour de moi, rien ne bouge. Des silhouettes de bancs solitaires ou de poubelles se dessinent sur fond noir. On n'entend que le bruit de mes bottes qui piétinent les feuilles mortes tombées au sol. Les battements de mon cœur s'accélèrent. Ne pas paniquer. Rester calme.

Mais les paroles entendues à la télé et à la radio me reviennent en tête : les filles sont toujours retrouvées dans un parc, bien en évidence, sur un banc. C'est beaucoup plus facile de rester calme quand on est à la maison, tranquille, ou en salle de classe, bien entourée. Tout à coup, seule dans ce parc, à la noirceur, ne pas m'affoler me semble une entreprise bien difficile... D'une main nerveuse, je fouille dans mon sac. J'en sors mes clés, que je glisse entre mes doigts. Je n'hésiterai pas à m'en servir pour me défendre, au besoin. Les clés paraissent toutefois une arme bien frêle dans ma main moite.

Le bruit de mes bottes qui claquent dans l'allée s'assure que je ne passe pas inaperçue dans le parc désert. Personne en vue. Je tente de hâter le pas encore. Quelle idée de porter des talons ! Je n'en suis même pas au milieu du parc quand une lueur attire mon regard. Je laisse échapper un petit cri de surprise effrayé.

La lueur blafarde d'un lampadaire éclaire la scène : dans l'allée, un peu plus loin, assis bien droit sur un banc, le *weirdo* s'allume une cigarette. Bêtement, la première chose qui me vient à l'esprit est que je ne savais pas qu'il fumait. La deuxième est de me demander ce qu'il fait là. Pourquoi s'arrêter et fumer dans le parc ? Seul, sur un banc, à cette heure ? Ma gorge se serre. Un désagréable filet de sueur glacée coule dans mon dos.

Je m'arrête. Il tourne la tête vers moi. Sans un mot. Sans un sourire. Sans le moindre signe de reconnaissance, alors que je sais très bien qu'il ne peut pas ignorer que je suis dans son cours.

Je m'immobilise. J'ai l'impression, soudain, d'avoir du mal à respirer. Je jette un œil frénétique autour, espérant voir surgir quelqu'un des allées sombres. Personne. J'ai un peu mal au cœur.

Pendant quelques secondes qui me semblent durer une éternité, nous restons ainsi, les yeux dans les yeux. Seul mon souffle précipité brise le silence. Tout autour, même les silhouettes des arbres dénudés de feuilles semblent se faire menaçantes. Rien ne bouge dans le parc. Nous sommes seuls au monde.

Pas question de passer devant lui pour aller à ma voiture. Je retrouve enfin mes sens. Je tourne les talons d'un coup et je me mets à courir aussi vite que mes bottes et ma jupe me le permettent. Je ne regarde pas derrière avant un long moment, persuadée qu'il est à mes trousses. Nao avait donc raison, quand elle comparait ce type inquiétant aux méchants des films américains...

Je n'ai qu'une idée en tête : retourner au campus, en sécurité, avec des gens tout autour. J'attendrai Naomie le temps qu'il faudra et nous rentrerons ensemble. Hors de question que je tente une nouvelle traversée du parc en solitaire. Le souffle court, un point au côté, je finis enfin par jeter un œil par-dessus mon épaule : au loin, une minuscule lueur brille. Comme le bout d'une cigarette dans la nuit. Il ne m'a pas suivie.

J'en tremble encore. J'ai une furieuse envie de pleurer. Il n'est pourtant rien arrivé. Juste un gars à l'allure un peu bizarre qui fume une cigarette sur un banc, à la nuit tombée, en me regardant, sans rien dire... Il ne m'a pas menacée directement. Une fois sortie du parc, sous la lumière artificielle des lampadaires, avec plein d'étudiants qui déambulent autour de moi, ma réaction me semble démesurée. C'est nerveux, juste nerveux. Du calme, Charlotte ! Je n'y peux rien, j'ai du mal à me contrôler, je suis bouleversée. Je m'en veux : j'ai cédé à mon tour à la panique ambiante.

À quelques mètres de la porte du pavillon, une silhouette apparaît devant moi. Mon Roméo! Il sourit d'abord machinalement, puis me jette un regard inquiet:

— Ça va? Tu sembles tout croche...

Les mots se bousculent. Tout sort en vrac, un flot de paroles balbutiées:

— J'étais dans le parc... il y avait... tu sais... le gars, dans le cours, qui ne parle jamais...

Roméo fronce les sourcils, alarmé:

— Il t'a fait quelque chose?

— Non, non... C'est fou, j'ai eu peur... il a l'air bizarre... Pourquoi rester seul dans le parc? En plus, avec le Monstre qui fait des victimes...

Je me sens ridicule, mais je n'arrive plus à me taire. Ce n'est pas du tout ainsi que j'avais imaginé notre première discussion.

Tout doucement, gentiment, Roméo m'écoute, me tapotant le dos en murmurant des «chut» apaisants. Je finis par retrouver un peu mon calme, ma respiration revient à la normale, je réussis même à me taire. Il propose:

— Veux-tu que je te raccompagne à ta voiture? Promis, je ne te laisserai pas avant que tu y sois assise, la porte verrouillée!

Adorable! J'accepte immédiatement. C'est encore mieux que d'attendre Naomie!

Nous reprenons le chemin du parc. Personne. J'essaie de me moquer de ma frayeur :

— Tu vas me prendre pour une peureuse ! Franchement…

Il sourit, réconfortant.

— Hé, ne t'en fais pas ! À cette heure-ci, même moi, je trouve le parc impressionnant !

Il est gentil. Sa présence et son humour me font un bien fou.

Nous sommes maintenant près du banc où se trouvait le *weirdo* un peu plus tôt. Je ralentis le pas. J'ai peur de ce que nous y découvrirons. Et s'il avait fait une victime pendant ma fuite ? Si j'avais simplement sauvé ma peau au détriment d'une autre fille ?

Je murmure dans la nuit :

— Il était juste là…

Je pointe le banc d'un doigt tremblant. Roméo propose :

— Tu veux que j'aille voir si tout est OK ?

J'ai la gorge si serrée que les mots ont du mal à se frayer un chemin. Je fais un petit oui de la tête. Il fouille rapidement ses poches et me demande :

— Tu as un cellulaire ? Je pense que j'ai oublié le mien chez moi.

Devant mon air interrogateur, il précise :

— Pour faire de la lumière.

J'ouvre nerveusement la pochette de mon sac, j'en sors mon téléphone et le lui tends. Il s'éloigne de quelques pas. Puis, sa voix s'élève doucement dans le noir :

— Viens voir !

J'avance d'un pas tremblant, redoutant ce qu'il veut me montrer. J'arrive à ses côtés. Il plante ses yeux foncés dans les miens. Il est beau. Si beau. Il chuchote :

— Tu veux un conseil ?

Avant que j'aie pu répondre, il glisse mon cellulaire dans sa poche et se jette sur moi. Il me plaque contre un arbre. Le tronc rugueux me lacère le dos. Ses mains enserrent ma gorge. Tout va trop vite. Un sourire terrible traverse son visage. Il murmure :

— Quand il est question de monstre, il vaut mieux ne pas trop se fier aux apparences...

J'ai du mal à respirer. Un gargouillis ridicule tente de se frayer un chemin dans ma gorge. Je n'ai même pas le temps de hurler. J'ai tout juste celui de penser que demain matin, c'est moi qui ferai la une des journaux. Je serai la neuvième victime. J'ai trouvé le Monstre. Ou plutôt, le Monstre m'a trouvée.

MATHIEU FORTIN

Bienvenue à Nozophobia

— Debout, jeune maître Lauran.

La voix d'Armin me tire du sommeil.

Comme tous les matins, je me lève, je me rends à la salle d'eau et je poursuis la même routine de toilette matinale avec germicide et désinfectant, avant d'avaler vitamines et suppléments avec de l'eau de source doublement filtrée. Quand j'ai terminé, je dépose mon verre dans le stérilisateur de la salle d'eau et je cède la place à quelqu'un d'autre : papa, maman ou l'une de mes deux sœurs. Entre nos présences respectives, une fine couche d'antiseptique est aspergée sur les murs pour s'assurer qu'aucun germe ne s'y dépose. Je répète les gestes machinalement, sans même y penser.

J'enfile ensuite des sous-vêtements scellés dans une pochette hermétique, puis des vêtements standards, blancs et noirs, permettant de détecter la saleté qui favorise la propagation des maladies.

Après cette routine, je m'arrête. Je ressens toujours un doute quand vient le temps d'enfiler mon protecteur personnel. Certains l'appellent le «contrôleur», car il vérifie l'état de santé de chaque personne. Il communique sans interruption nos données privées aux bases de données de la tour de contrôle. Si je souffrais d'une maladie, s'il détectait une anomalie dans mon sang, la tour en serait immédiatement avisée. Je crains toujours que cela m'arrive au moment où je dois me soumettre à la vérification.

Je respire profondément, pour me calmer. Tous les jours, je pose les mêmes gestes et je dois me calmer pour éviter qu'une alarme soit provoquée par mon énervement. Un stress trop élevé signifie un inconfort, qui implique parfois une infection ou une maladie.

La dernière chose que je souhaite serait d'être malade, alors que je rencontrerai peut-être Sofia en vrai!

Mais j'ose, chaque jour, enfiler la combinaison en prenant bien soin d'ajuster chaque pli, chaque articulation au polymère automoulant pour m'assurer qu'il épouse parfaitement mon corps. J'ai grandi : les manches s'ajustent avec difficulté à mes avant-bras et à mes poignets. Le poil qui pousse sur mon menton ne ment pas : je vieillis. Je recevrai prochainement un nouveau protecteur personnel calibré pour tenir compte de mes changements hormonaux.

Le protecteur personnel me protège de tous les pathogènes qui pourraient tenter de m'assaillir. En contrepartie, les dirigeants de la Nozone peuvent me suivre à la trace et obtenir mes secrets en temps réel. Ce compromis permet à Nozophobia d'exister.

— Votre repas est servi dans la salle commune.

La voix d'Armin, notre contrôleur domestique, me tire de ma rêverie. Je descends au rez-de-chaussée de la maison et je m'assieds à table pour attendre l'arrivée de papa, maman, Carolanne et Éloanne, mes cadettes.

Quand mes parents arriveront, je devrai leur demander la permission de rencontrer Sofia. J'y pense depuis quelques jours. Je ne peux m'enlever cette idée de la tête. Je désire respirer son parfum, sentir la chaleur de sa peau près de la mienne. J'espère que nos protecteurs personnels valideront notre relation, d'après nos biochimies respectives.

Je feuillette distraitement les actualités sur le plexiverre de la table de cuisine, branchée sur le RÉZO, où les manchettes s'affichent en surbrillance. Le gros titre qui attire mon attention est le plus grave : des troubles ont eu lieu au mur. Des *Dirtys* ont tenté de se frayer un passage près de l'orphelinat. Là où habite Sofia ! Heureusement, une escouade de *Cleaners* est arrivée à temps pour empêcher le flot d'exclus d'envahir la Nozone.

Quand papa entre dans la salle commune, je vois à son visage allongé qu'il connaît les dernières nouvelles. Comme il travaille à la sécurité, il a sûrement passé une partie de la nuit debout. Il s'occupe de la chasse aux nouveaux *Dirtys*.

À la suite de cet incident, une surveillance accrue des habitants de ce secteur de la Nozone l'éloignera de la maison pendant de longues heures dans les prochains jours. Cela m'empêchera peut-être de voir Sofia !

— Tu as lu ? me demande-t-il.

— Oui. Ils devraient accepter leur état, plutôt que de tenter de nous voler notre santé.

Les *Dirtys* m'effraient. Je suis un *Clean*, exempt de maladie, et j'entends le rester. Je ne veux pas être de ceux qu'on nomme les *Dirtys*, qui contractent tous les virus ou autres infections qui galopent ici et là.

Papa acquiesce pendant que les deux tornades blondes arrivent en courant. La plus vieille des deux, championne d'athlétisme, ne connaît qu'une seule vitesse ; la cadette, elle, s'efforce d'imiter sa grande sœur, les aptitudes naturelles en moins.

Maman arrive de son pas posé et termine d'attacher les cheveux de mes deux sœurs, avant de s'asseoir à son tour. Les cheveux détachés sont interdits dans toute la Nozone, car ils favorisent les infections.

— Lauran, tu travailles aux souterrains, ce matin ? me demande maman.

— Non, j'ai changé de semaine avec Torin. Mon niveau d'apprentissage est optimal en ce moment.

Maman ne poursuit pas, car elle sait que je déteste les corvées de souterrain.

Nos repas déjà préparés, calibrés, ajustés à nos biochimies personnelles par les bons soins d'Armin se matérialisent, chacun dans notre compartiment individuel, pour éviter toute contamination croisée.

Dans les autres maisons de notre communauté, la routine est semblable. Les vêtements et la nourriture aussi. La constance permet de réguler l'environnement autour de nous : plus un milieu demeure stable et régulier, moins les infections peuvent s'y développer.

Parfois, certains *Cleans* développent des maladies, des problèmes, des infections. Ils insécurisent la masse. Ils deviennent des *Dirtys*. C'est ma plus grande peur. Les *Dirtys* sont démis de leurs privilèges et sont reconduits aux portes du mur d'enceinte qui entoure la Nozone. Ils sont introduits dans le sas et l'on n'entend plus jamais parler d'eux. Ils ne réussissent jamais à rentrer. On les entend crier et hurler, surtout ceux qui ne présentent aucun symptôme et n'acceptent pas que les protecteurs personnels ne se trompent jamais.

— Lauran ?

Papa m'a parlé.

— Excuse-moi. Je me demandais si Jacob aurait pu se trouver dans le groupe qui a tenté d'entrer.

Je ne leur ai pas encore parlé de Sofia. Est-ce le bon moment, avec l'attaque sur le mur ?

— Avec son diabète, ton cousin n'a sûrement pas survécu longtemps de l'autre côté du mur.

J'ai subi tout un choc en apprenant que Jacob était devenu *Dirty*. Son organisme souffrait d'une déficience, malgré le cocktail d'antibiotiques, de vitamines et de suppléments que nous prenons chaque matin. Même les vaccins qu'on nous injecte régulièrement n'y pouvaient rien. Jacob présentait une mutation involontaire survenue en dépit de tous les contrôles sur les fœtus. Les *Cleaners* l'ont amené au mur.

Il vit désormais à l'extérieur, dans un environnement soumis aux intempéries et aux infections incontrôlées, sans aide pour traiter son diabète. J'ai lu, dans un vieux livre d'histoire, qu'au siècle dernier on traitait cette maladie. Les gens qui en souffraient pouvaient vivre quelques décennies. Mais pas à Nozophobia.

On raconte que les *Dirtys* deviennent difformes, car la maladie brise leurs os, lacère leurs chairs et détruit lentement toute l'humanité qui les habite. Certains ajoutent même que sans les Fondateurs, l'espèce humaine entière serait vouée à disparaître. Après les Grandes Épidémies du XXIe siècle, les Fondateurs ont été visionnaires en sélectionnant des lignées dépourvues de maladies génétiques et en les isolant dans la microsociété qu'est Nozophobia. Ils ont créé les protocoles qui gèrent désormais la division en *Cleans* et *Dirtys*. Cela a permis de nous sauver, en conservant seulement les individus exempts de toute maladie. Même de celles qui se traitent ou se guérissent. Nous sommes purs.

— Je te disais que les cours ont lieu quand même aujourd'hui. C'est le moment de t'installer devant ton écran.

— Merci.

Je sors de table avant mes sœurs, qui n'ont pas cours. Le moment d'exécuter mon plan est arrivé.

— Papa, maman, j'aimerais vous demander...

— Vas-y, fils.

— J'aurais besoin de votre approbation pour une rencontre.

Mes deux sœurs grimacent de dégoût, mes parents sourient.

— Nous signalerons notre approbation au bureau de contrôle. Quand voudrais-tu procéder?

— Peut-être après les cours, ce soir, si elle accepte.

Papa approuve d'un signe de la tête, pendant que je me sens rougir d'excitation.

Je me rends à ma station d'apprentissage holo et le cours commence. Je vois les visages des autres et celui de M. Bronsky, notre enseignant, quand une silhouette se dessine près de moi.

Elle s'appelle Sofia. Elle est âgée de quatorze ans, comme moi.

Depuis quelque temps, nous nous voyons en holo-grammes. Nos compagnons ne nous voient pas ensemble, mais nous apparaissons l'un à côté de l'autre dans nos unités d'habitation respectives.

Et ce matin... le grand moment est venu.

J'appuie sur quelques touches du poignet de mon protecteur personnel pour établir la communication privée avec Sofia. Personne d'autre du RÉZO de notre classe ne peut entendre ce que j'ai à lui demander. Une telle opération est habituellement réprimandée pendant les heures de classe, pour éviter que nous soyons distraits, mais je dois me lancer.

— Sofia, je voulais te demander... Accepterais-tu que, ce soir, nous nous voyions... en vrai?

— Oh oui, avec plaisir! J'irai te rejoindre chez toi. J'ai vraiment hâte de te voir.

* * *

Je peux compter sur mes doigts les personnes que j'ai vues en présence réelle. À la petite enfance, on nous attitre un médecin, que j'ai vu quelques fois. Deux éducatrices, jusqu'à dix ans. Mes parents, mes sœurs. Quelques autres adultes, entrevus alors qu'ils venaient parler à mes parents. Sinon, personne d'autre.

Et ce soir : Sofia.

Dès qu'elle entre dans notre unité d'habitation familiale, mon cœur bat la chamade. Je m'efforce de respirer lentement, pour me calmer. Je veux éviter une surcharge de stress qui déclencherait des alarmes.

Mes parents sont là, mais pas mes sœurs. Je ne sais pas comment accueillir Sofia. Nous restons à une distance respectueuse; je sens mon stress atteindre les plus hauts sommets jamais ressentis. Mes paumes deviennent moites, je tremble.

— Bonsoir, Lauran.

Elle est plus belle que je ne le croyais. Et son odeur...

— So...

Le mot s'étrangle dans ma gorge. Je prends une inspiration profonde.

— Sofia... bienvenue chez moi.

Je la laisse entrer dans notre salle commune et elle s'assied sur un fauteuil. Mes parents se présentent pour la saluer.

Papa semble mal à l'aise devant Sofia, lui qui, pourtant, mène une vie active, où les contacts physiques surviennent régulièrement. Et je comprends, tout à coup, pourquoi il est saisi devant elle : avant, il travaillait comme *Cleaner*. Peut-être l'était-il à l'époque où les parents de Sofia ont été jetés hors du mur ? L'a-t-il fait lui-même ?

— Nous vous laissons, Lauran, annonce maman. Nous serons de retour avant la fermeture des lumières.

Ils sortent et... je ne sais toujours pas comment agir !

— L'analyse est terminée, annonce Armin. Votre taux de compatibilité avoisine les 96 %.

Sofia me sourit.

— Tu veux regarder un film ?

Nous nous installons sur des fauteuils adjacents et nous regardons *Dirty Barry*, un film mettant en vedette un *Dirty* qui réussit à traverser le mur et menace de contaminer une enfant si la famille ne l'aide pas à se venger du *Cleaner* qui a tué la sienne.

Je ne sais pas comment agir. Pouvons-nous nous toucher ? Sofia se rapproche et me prend la main. Ce contact me remue à l'intérieur, comme jamais. Quelques instants plus tard, dans le film, le *Dirty* embrasse finalement la femme du *Cleaner*. Sofia se penche vers moi, je tourne la tête vers elle et ses lèvres se joignent aux miennes. Nous hésitons, au début, mais après quelques contacts, la sensation dépasse toutes mes espérances.

— Couvre-feu dans dix minutes, maîtresse Sofia, nous interrompt Armin.

Sofia s'éloigne et m'offre le plus beau sourire du monde.

— On se revoit demain ? me demande-t-elle.

— Je le souhaite de tout cœur.

* * *

Toute la nuit, je rêvé de Sofia. J'ai hâte que les cours commencent pour notre journée en présence virtuelle, en souhaitant qu'elle accepte que nous nous revoyions en vrai !

Après ma routine du matin, un peu avant le début des cours, je me retrouve devant mon écran d'apprentissage. Sofia n'est pas en ligne.

Tous les autres étudiants se connectent au RÉZO de la classe, mais je ne vois toujours pas Sofia.

Dès que M. Bronsky apparaît sur mon écran, je lui envoie un message.

— Savez-vous si Sofia s'absentera ce matin?

— Je n'ai reçu aucun mémo à ce sujet.

Je compose l'identifiant de Sofia, mais son protecteur personnel n'est pas branché. Elle ne l'a pas enfilé ce matin.

Ou alors... elle a été classée *Dirty* pendant la nuit. La nuit après notre rencontre! L'adrénaline m'envahit. Si elle souffre d'une infection qui n'était pas encore déclarée, elle m'a peut-être infecté. Et si c'est le cas, je serai jeté de l'autre côté du mur.

Je ne me sens pas bien. J'ai besoin d'air. J'ai besoin de respirer de l'air filtré, sans pathogènes, de calmer les battements de mon cœur qui menace de me sortir de la poitrine. Moi, malade? Isolé de mes parents, de ma vie ici... Je ne veux pas!

Je dois me calmer si je ne veux pas déclencher une fausse alarme.

Je respire. Je dois reprendre le contrôle, car tous les autres élèves de la classe me voient sur leur écran d'apprentissage.

Je me calme.

Sofia est peut-être de corvée dans les souterrains, ce qui expliquerait que son protecteur n'est pas branché sur le RÉZO.

Toute la journée, j'ai beaucoup de difficulté à me concentrer. Mon amie n'apparaît pas, ni à l'écran ni près de moi en présence virtuelle.

À la fin de la journée, je palpe mon corps, seul dans la salle d'eau, à la recherche d'une bosse, d'une inflammation ou d'un indice indiquant que je souffre d'une quelconque maladie. Toute la nuit, je me tourne sans arrêt dans mon lit, redoutant l'apparition d'un symptôme qui me ferait classer *Dirty*.

Sans rien trouver. Sans savoir si j'en suis rassuré.

* * *

— Debout, jeune maître Lauran.

J'ai dormi. Je me sens bien !

Après la routine vient le moment d'enfiler mon protecteur personnel. Je m'examine de nouveau, sans trouver d'indice d'infection.

Je mets plus de temps qu'à l'habitude pour me calmer. Pourtant, je n'ai pas le choix. Je dois enfiler mon PP.

J'ose enfin. Cinq minutes plus tard, il ne se passe toujours rien.

Avant que le cours commence, je cherche dans le RÉZO. Bonne nouvelle : Sofia n'est pas classée *Dirty* comme mon cousin Jacob.

Mais elle n'est toujours pas branchée.

Je dois savoir pourquoi. Dès la fin des cours, je me rendrai à l'orphelinat.

* * *

Au beau milieu des allées désertes, je me sens nu. Le plafond de Nozophobia, qui filtre l'atmosphère et les émissions solaires nocives, devrait me rassurer, mais je ressens un malaise.

Je ne crains rien, mais le malaise me pousse à marcher rapidement. Il me tarde de connaître la vérité et de retrouver le confort rassurant de notre unité d'habitation.

Je suis presque arrivé à l'orphelinat, dont l'ombre se dessine à quelques centaines de mètres de moi, quand une voix m'interpelle.

— Lauran, par ici !

Je distingue une silhouette sur ma droite, entre deux bâtisses.

— Sofia !

— Viens, je dois te parler, ajoute-t-elle.

Si elle est là, c'est qu'elle n'est pas *Dirty* ! Je me suis inquiété pour rien !

J'avance de quelques pas dans sa direction, mais je m'arrête.

Ses cheveux sont libres de bouger, sans contrainte.

Cela est strictement interdit ! Elle est *Dirty* !

— Sofia? Que se passe-t-il?

Elle éternue, portant une main à sa bouche.

Les deux bras croisés devant mon visage, je me cache la bouche et le nez en reculant d'un pas. Je ne dois pas respirer ses sécrétions infectées! Elle a éternué! Comme une *Dirty*!

Envahi par une vague de stress, je crie:

— Je ne veux pas tomber malade! Je ne veux pas devenir *Dirty*!

Je souhaiterais pouvoir reculer encore. Mais mon corps ne répond plus. J'ai l'impression que les murs se referment sur moi.

Une main s'abat sur ma bouche pour m'empêcher de crier, et un corps de femme me soutient pendant que Sofia m'explique:

— Cette division est illusoire, Lauran. Le classement définitif n'est pas réaliste. Les gens tombent malades et ils guérissent. La peur de la maladie des Fondateurs n'était pas justifiée. Sœur Malorie peut te laisser libre, si tu te calmes. À la vitesse où les gens deviennent *Dirtys*, bientôt plus personne n'habitera dans la Nozone, sauf ceux qui décident des règles.

Comment peut-elle affirmer des énormités pareilles?

— Mais ces règles existent pour protéger les gens! Il faut penser à la communauté avant de penser au contentement individuel!

Sofia nie de la tête.

— Eux, ils ne pensent pas à la masse. Ils s'estiment plus importants que les autres. Ils s'approprieront toutes les technologies, toutes les ressources de notre société. Les autres, en dehors du haut mur, mourront à petit feu, alors que le partage de toutes ces richesses permettrait à tous de vivre bien et de vivre longtemps. Nos ancêtres se battaient pour guérir les gens malades, ils ne les excluaient pas sans espoir de rémission.

Elle ne peut pas penser comme ça! C'est interdit. Elle est complètement folle. Elle et l'autre désirent me contaminer, comme tous les *Dirtys* qui sont jaloux des *Cleans*. Ils veulent m'attirer de leur côté!

— Dans deux jours, au maximum, je serai guérie de ce rhume, sœur Malorie me l'a dit. À l'orphelinat, ils protègent les enfants malades pour empêcher qu'ils soient jetés hors du mur. Les Fondateurs craignaient de tomber malades, pas de souffrir d'un rhume ou d'une indigestion! Ils souhaitaient contrôler les maladies graves, les problèmes héréditaires qui nous affaiblissent.

— Je connais mon histoire! Après les Grandes Épidémies, ils ont sélectionné les lignées les plus pures et ont laissé les autres hors du mur.

— Mais nous avons poussé trop loin ce souhait! Ils désiraient isoler les survivants des infections graves qui sévissaient dans le monde extérieur, surtout des nouvelles mutations qui s'imposaient dans toutes les couches de la société.

— Les gens refusaient d'être traités ou protégés correctement en s'opposant aux vaccins, en consommant des produits chimiques, des OGM...

— Oui, tu as raison sur le fond. Certains choisissaient de s'exposer aux maladies et affaiblissaient l'ensemble de la société. Mais en créant la Nozone, les Fondateurs ne pouvaient pas prévoir que leurs réactions causeraient une maladie encore plus grave que tout ce qu'ils avaient imaginé : leurs héritiers ont commencé à exclure les gens qui souffraient d'infections bénignes, de peur que celles-ci deviennent contagieuses, même si elles ne représentent aucun danger sérieux.

— Tu veux dire...

J'ai l'impression de saisir ce qu'elle veut m'expliquer, mais sans pouvoir mettre les mots sur ma pensée. Comme si j'avais l'esprit embrouillé.

— Il y a des maladies physiques... et il y en a dans la tête aussi. Je crains que nos dirigeants ne soient atteints de celles-là.

Je sens mes jambes se ramollir, et un picotement s'installe dans ma gorge. Non, je ne veux pas être malade !

— Lauran ? Ça va ?

J'ai envie de crier que non, ça ne va pas, mais j'ai peur d'ouvrir la bouche et de tousser. JE NE VEUX PAS ÊTRE MALADE !

Sœur Malorie me relâche et m'allonge sur le sol. J'entends des pas qui s'approchent. Je ne me sens pas bien.

— Il faut lui enlever son protecteur personnel, dit une nouvelle voix.

— Papa ?

— Ne t'inquiète pas, Lauran. Nous allons t'emmener à la clinique clandestine des religieuses. Elles soignent les gens, en cachette.

Sœur Malorie a commencé à me dévêtir, pendant que Papa me parle.

— Mais comment...

— Quand j'étais *Cleaner*, j'ai brisé des vies. J'en ai parlé à sœur Malorie il y a longtemps, quand je lui ai amené Sofia, en fait. Elle m'a contacté quelques semaines plus tard et nous avons instauré la clinique. Le nombre de *Dirtys* a beaucoup diminué depuis cette époque, et nous essayons de sauver tous ceux et celles que nous pouvons soigner.

— Mais Papa, je ne veux pas être malade. Je ne veux pas mourir !

— Lauran, arrête d'avoir peur. On t'a inculqué à tort que la maladie amenait la mort. Tu ressentiras l'impression de mourir, tu voudras peut-être y passer, mais nous sommes assez solides pour survivre à des infections bénignes. Ne t'inquiète pas. Je suis passé par là, ta mère aussi, ainsi que la majorité des *Cleans*. Ceux qui sont classés *Dirtys*, depuis quelques années, ne sont simplement pas détectés à temps. Va à la clinique, tu reviendras quand tu pourras de nouveau porter ton protecteur personnel en toute sécurité.

— Mais le bureau de contrôle ?

— Ne t'inquiète pas. Nous avons géré cette situation des dizaines de fois.

* * *

J'ai le teint livide, les yeux cernés, les lèvres exsangues et la peau grise.

Je suis malade pour la première fois de ma vie.

Près de moi, Sofia est assise et me caresse les cheveux.

J'ai quatorze ans.

J'ai embrassé une *Dirty*.

Je n'en suis pas mort. Je serai plus fort qu'avant. Et dans mon délire, j'ai pris une décision : je n'aurai plus peur.

Dès que je serai remis sur pied, je commencerai à préparer la rébellion.

Et un jour, plus personne n'aura peur.

PIERRE LABRIE

Bone, taxeur professionnel

Dire qu'avant, j'aurais pris mon trou pas à peu près! Et ce matin, c'est lui qui s'écrase devant moi. Lui et sa grosse face de petite merde. Lui et ses supplications. Lui et ses yeux pleins d'eau. Lui avec mon poing dans sa face s'il n'arrête pas de chigner et s'il ne me promet pas ce que je veux. Antoine le grassouillet rampera devant moi ou je le casserai pour le reste de l'année. Pas question pour moi de le laisser se promener allégrement dans l'école par pitié parce qu'il passe son temps à brailler toutes les larmes de son corps. Moi, les larmes, ça ne m'atteint pas. Ça me met encore plus en calvaire. Il pleure, la larve, et moi je le regarde de haut. Je l'insulte et, dans ma tête, j'entends ma mère dire : «Attention à ton langage, mon gros poussin, tu sais ce que ton père en dirait!» Justement, j'ai des doutes là-dessus.

— Allez, le gros, crache! Ça ne te fera pas de tort si tu manges un peu moins.

— Mais, mais, Be…

— Silence ! Et fais ça vite avant que quelqu'un arrive !
Car si je me fais pincer, tu me devras le tout en
quadruple, la prochaine fois !

— Me reste trois dollars…

— Tu feras mieux demain !

— Mais c'est samedi…

— Je taxe le weekend, dorénavant… Et c'est toi qui viens
de me donner l'idée… Mes autres «clients» vont t'aimer,
quand je vais leur apprendre la bonne nouvelle…
surtout quand ils vont savoir que tu es ma muse !

Notre histoire intime, à Antoine et à moi, a commencé
il y a deux semaines. Il se vantait qu'il avait un petit
emploi et que désormais il pourrait se payer tout ce qu'il
voulait. Moi, je dînais aussi à la cafétéria, à la table d'à
côté. Tant pis pour lui, il n'avait qu'à choisir une autre
table avec sa bande d'affreux ! Antoine le grassouillet
racontait qu'il avait en vue un *jacket* en cuir à l'effigie du
Chevalier noir, article qu'il avait déniché sur un site
Internet britannique pour les geeks. Moi, je me suis
imaginé le gros dans un kit de Batman, et j'ai rigolé à
en cracher une partie de ma bouchée de sandwich.
Les affreux se sont retournés pour me fixer. À voir ma face
si sympathique, ils ont rapidement repris leurs discussions.
Le gros était heureux. Moi aussi. Je venais de trouver une
nouvelle source pour mes finances personnelles.

Pour ce qui est des heures supplémentaires, je ne suis
pas le seul à vouloir travailler le week-end. Joëlle, la fille

de cinquième secondaire qui se laisse taponner les seins pour cinq dollars, travaille aussi la fin de semaine. Le nombre de clients réguliers l'a rendu essentiel. Son commerce est populaire. Ce n'est pas que l'école manque de filles, mais Joëlle a quelque chose que les autres n'ont pas. Elle est la seule fille de l'école à avoir de faux seins, un joli cadeau de sa mère. Joëlle ne voulait pas entrer au cégep pauvre et avec des seins invisibles. C'est ce qu'elle disait depuis ses douze ans. Sa mère a réglé le cas des seins pendant leurs vacances d'été aux États-Unis avant son secondaire quatre. Pour le reste, ayant peur de manquer de fric, elle accumule dans un compte l'argent de poche donné par sa mère et les sommes astronomiques octroyées par son père, mais elle a aussi son *business* de taponnage. Plus tu as d'argent, plus tu en veux. Ça, je l'ai rapidement compris, moi aussi. C'est une des raisons pour lesquelles, grâce à la grande générosité de ma muse, Antoine le grassouillet, je suis tenté de travailler le week-end.

Dire qu'avant, c'est le grand Phil qui aurait récolté ! Ça, c'était avant que je me réveille, que je me découvre. Avant que je lui casse la gueule devant une partie de l'école, dans le hall. Ça, c'était bien avant, quand j'étais moi-même une source pour les finances personnelles de quelqu'un d'autre. Quand je n'étais qu'un bolé. Mais ça, c'est du passé maintenant. Je suis un taxé repenti.

Et parfois, lorsqu'on arrête de se décevoir, ce sont les autres que l'on déçoit. Une roue qui tourne. J'ai déçu ma mère cinq fois cette semaine. Rien à voir avec l'époque où je décevais mon père, avant qu'il disparaisse pour de bon. Je l'ai déçue lundi, parce que j'ai mélangé son uniforme de travail blanc avec mes t-shirts dans la laveuse. Mardi, deux fois à cause de mon bulletin et de ma réaction devant le constat que mes notes étaient descendues d'un point sous la barre des 95 pour cent dans les matières importantes. Mercredi, une fois parce que j'ai snobé, sans le vouloir, ma tante à l'épicerie quand je suis allé chercher des trucs pour le souper. Hier, parce que j'ai oublié de sortir les poubelles. Elle m'a rappelé chaque fois ce qui me serait arrivé si mon père avait été encore là. Ce qui m'arrivait quand je le décevais. Ça, je l'avais encore en tête et en sensation sur le corps.

Et même si ma mère m'appelle toujours aussi gentiment Ben, je suis devenu Bone, un matin d'octobre. Les feuilles terminaient de tomber. Le matin où j'ai décidé de ne plus jamais poser le genou par terre pour une histoire d'intimidation. Maintenant, je mène le jeu. À l'école, on me redoute. On m'a nommé Bone.

C'est le choix que j'ai fait. Frapper ou être frappé ? Le dicton de mon père, à ce sujet, était: «Toujours cogner, briser les os... parler, seulement ensuite.» Il avait dû prendre ça quelque part à la télé, car je ne lui connaissais pas de talent pour inventer de telles phrases. Même chose avec ce truc qu'il me lançait constamment, à la fin du primaire, quand il apprenait que je me laissais bousculer: «La peur! Voilà ce qui bâillonnera les systèmes séditieux. La peur de l'Étoile Noire.»

— Tu dois devenir l'Étoile Noire avant d'entrer au secondaire, si tu ne veux pas continuellement te faire casser la gueule !

Aujourd'hui, je sais, mais ça m'a pris un temps avant de comprendre. C'est quand Phil a commencé à saisir mon argent pour la café, vers le début de mon secondaire trois, que c'est devenu plus clair. Phil m'a volé pendant un an, avant que j'applique à mon régime de vie les paroles de mon père. Et, après vérification, celles du Grand Moff Tarkin, un personnage de *La guerre des étoiles*.

J'avais compris. La peur. Celle qui empêche de dormir. Voilà ce que je devais instaurer. Ça faisait six mois que je m'entraînais chaque jour sur le *punching bag* du sous-sol. Comme je sautais régulièrement le dîner, gracieuseté de Phil, j'avais perdu quelques rondeurs au profit d'une musculature en expansion. Un matin, je me suis levé en me disant que je n'avais pas l'intention de rester Benoît le grassouillet. Mon père ne serait pas témoin de mon évolution, il n'habitait plus à la maison.

Aujourd'hui, être solide est devenu aussi important que les bonnes notes aux examens. Et là, l'examen d'anglais de lundi m'oblige à penser à la fin de semaine. La pause entre la première et la deuxième période se termine. Je retourne en classe en refaisant ma liste dans ma tête. Ma liste des personnes à avertir avant la fin de la journée. Les avertir qu'il y aura maintenant une collecte le week-end. Il me reste le cours de maths pour réfléchir à comment donner rendez-vous à tout ce beau monde en dehors de l'école. Peut-être les laisser choisir entre le samedi et le dimanche. Pour être gentil, quand même. Peut-être commencer par une seule journée de finance. Ensuite, je verrai bien comment m'enligner.

Je me suis monté une jolie petite clientèle. J'ai repris la quasi-totalité de celle de Phil, surtout depuis qu'il a quitté le secondaire pour de nouveaux défis, ailleurs, bien loin d'ici. On peut dire qu'il y a quatre commerces différents à l'école. Joëlle et ses seins est celui qui doit rapporter le plus, après celui de Baboum. Ce dernier, qui porte un sobriquet vraiment nul, considérant son type de commerce, est l'unique vendeur de drogue des lieux. Il y a aussi son amie Fred qui, grâce à ses fausses cartes léguées par sa grande sœur qui lui ressemble comme si elles étaient des jumelles, peut fournir les élèves en alcool pour les *partys* de week-end et de vacances d'été. Puis, il y a moi. Pour les quatre Fleurs du mal, il s'agit de la dernière année ici. Aucun des quatre ne se marche sur les pieds. Deux filles, deux gars, quatre entreprises non inscrites aux taxes ni aux impôts.

C'en est terminé pour les mathématiques. Toutes les notes sont prises pour l'examen de la semaine prochaine. Je vais profiter de la pause pour rencontrer quelques fournisseurs. Faire vite avant mon cours de français. En route, je croise l'une des deux femmes d'affaires.

— Salut, Joëlle !

Comme d'habitude, seulement un petit sourire poli, parce que je fais partie des quatre mafieux, rien de plus.

Même avec du poids en moins, incapable d'approcher la belle. Pourtant, moi, elle me plaît depuis son arrivée à mon école primaire. Bien avant ses implants et son *business*. Même que j'aime préciser que je la préférais avant. Peu sont ceux qu'elle laisse indifférents, car la majorité des gars bavent en la regardant, et les filles la craignent. Moi, je la regarde seulement. Et j'aimerais bien qu'elle s'intéresse à Benoît, ce qu'il en reste, mais je tremble devant elle quand je ne suis pas Bone.

Je me suis souvent demandé si son comportement avec moi aurait changé si je m'étais laissé tenter par ses services. Mais comme ça ne m'a jamais effleuré l'esprit, je ne crois pas avoir la réponse un jour. Je pense même que ma mère serait plus horrifiée d'apprendre que je paye pour toucher les seins de Joëlle que de savoir ce que je fais comme *business*. Peut-être. D'ailleurs, elle ne se doute de rien. J'utilise le moins d'argent possible, pour ne pas éveiller ses soupçons. Je canne jusqu'au jour où je pourrai partir loin, très loin. Comme mon père l'a fait, mais pas pour les mêmes raisons. Je sais que le jour où j'arrêterai de taxer s'en vient, avec la fin du secondaire. Le jour où je passerai à autre chose de plus intellectuel. Mais ce jour n'est pas demain.

Après m'être enlevé le petit sourire de Joëlle de la tête, je me rends à mon casier pour changer de livres et reprendre ma recherche de clients à avertir. Le temps de faire un signe de la main à Antoine le grassouillet, au cas où il aurait déjà évacué de sa mémoire notre future rencontre. Puis, sans faire un pas de plus, j'ai justement deux taxés qui s'en viennent vers moi.

— Les gars...

— Oui, oui, tiens, c'est tout ce que j'ai...

— Pis, moi aussi...

— Sans problème, on se revoit ce week-end...

— Week... Co-comment ça?

— J'étends mes heures de travail...

— Mais...

— Ce n'est pas discutable? Parce que moi, j'ai...

— Vous allez toujours à l'aréna le samedi après-midi?

— Oui...

— Habituellement...

— Alors on se voit avant le début du match, dans le coin de la cantine.

— Et pour...

— Ce sera comme d'habitude!

— Ostie, tu exagères vraim...

Le petit coup sec que je viens de lui donner juste en dessous des côtes gauches lui a fermé le clapet. Les deux taxés continuent leur chemin vers leur classe, après que j'ai répété les consignes pour demain. À ces deux-là, ce sont des cigarettes que je taxe. Le vendredi, je revends les cigarettes accumulées pendant la semaine au fils d'un des profs de français de secondaire trois. Je n'ai jamais vu fumer le fils à papa, mais il doit y avoir quelque chose de pas clair pour qu'il préfère m'en acheter en vrac au lieu de demander à un plus vieux de lui acheter des paquets au dépanneur. Il a aussi déjà acheté de la bière à Fred et quelques joints à Badoum, mais on ne l'a jamais vu dans un *party*. Cependant, comme c'est un ami d'Antoine, il n'y a rien d'anormal à ne pas le voir dans un *party*.

Le cours de français a passé rapidement. La grammaire et moi sommes de bons amis, alors j'ai pu en profiter pour me construire un horaire sur deux jours pour mon premier week-end de travail.

En me rendant à la cafétéria, j'en profite pour taxer ceux qui ne m'ont encore rien donné aujourd'hui. La plupart préfèrent venir me voir dehors, avant que la journée de cours commence. Régler ça loin des yeux du personnel de l'école.

Après avoir reçu mon dû de Stéphanie les dents croches, une voix que j'aime sévit juste derrière moi. Et avec ce que j'entends de la conversation, je ne peux m'empêcher d'intervenir. Parce que je la crois bien capable de jouer dans les platebandes de Fred, je vais la confronter. Étrangement, elle est terriblement nerveuse.

Puis, elle finit par cracher le morceau. Joëlle aura ses dix-huit ans bien avant la fin de l'année scolaire. Parce qu'elle a doublé sa deuxième année de primaire. Ça, c'était avant qu'elle et sa famille ne déménagent ici. Gracieuseté de sa mère. La honte de ce « doublage » les avait obligées à changer de paysage. Pas question que la reine et la princesse partent du mauvais pied dans la vie ! Avec ses dix-huit ans, elle projette donc de prendre une part du *business* de l'alcool en doublant Fred.

J'ai promis de ne le dire à personne, pour ce qui est des deux « doublages », comme on promet de garder un secret important. J'ai promis, même si je me fous un peu de ce que je viens d'apprendre. En fait, ça m'est égal. Ça ne change rien dans mon quotidien. Ça ne change probablement rien dans le sien non plus. D'ailleurs, elle qui s'est toujours tenue loin de moi, je ne comprends pas trop pourquoi elle m'a raconté tout ça. Pourquoi se rapprocher, aujourd'hui ? Elle n'est vraiment pas dans son assiette.

Une fois mon repas englouti, je fais le tour de la café pour propager la bonne nouvelle aux taxés. Je ne peux pas dire que mon idée d'expansion rend heureuses bien des personnes. Puis les cours de l'après-midi reprennent. D'abord avec Éthique et culture religieuse. Au fond de la classe, Badoum et Fred me regardent étrangement. J'espère que Fred n'est pas déjà au courant que Joëlle a l'intention de jouer sur son terrain et du fait que j'ai discuté avec elle à l'entrée de la cafétéria. Voilà ce qui me présenterait d'office comme complice. J'avoue que ça peut paraître étrange, car je n'ai jamais eu une aussi longue conversation avec Joëlle, et ils savent ce que la belle me fait. Mais je suis net et je compte leur en parler aussitôt le cours terminé. Ça devient insoutenable, car ils me regardent de plus en plus souvent. Mon angoisse de ne pouvoir m'expliquer avec eux tout de suite est toutefois interrompue par l'appel de mon nom au complet à l'interphone. Un appel à me rendre chez le directeur.

Je ne sais pas ce qui se trame, mais j'entends déjà ma mère hurler. Je vois déjà ce que mon père m'aurait fait. D'ailleurs, l'étrange sensation qui m'envahit est directement liée à ce que mon père m'a jadis martelé à propos de la peur et de l'Étoile Noire. Et il y a quelque chose que mon père ne semblait pas savoir, c'est que les rebelles font exploser l'Étoile Noire à la toute fin.

C'est la première fois que je me retrouve dans les entrailles de la direction de l'école. Je n'y avais même pas mis les pieds la fois où j'ai démoli Phil, autant son orgueil que sa face. Ça s'était passé rapidement. Moi en furie. Les yeux veinés. Mon poing dur comme le roc. Phil était tombé. J'avais dit en le pointant : « Désormais, je ne te tolérerai plus dans mon entourage » et j'avais tourné les talons sous les applaudissements. Les pauvres, ils ne savaient pas que je reprendrais son *business* ! Phil n'avait pas porté plainte, et ses amis l'avaient tenu loin de moi jusqu'à ce qu'il parte à la fin de l'année.

Et pourquoi ma présence au bureau de la direction aujourd'hui ? Joëlle s'est fait prendre ce matin. Avant que l'école commence, elle s'est retrouvée derrière le bâtiment des salles de gym. Un nouveau client a demandé à toucher autre chose que ses seins. Elle a refusé. Il l'a menacée de dévoiler son *business* au grand jour, photos à l'appui. Il y a longtemps qu'il l'espionnait et accumulait des preuves.

Joëlle ne savait pas quoi faire. La panique s'est invitée. Pendant son cours avant le dîner, elle est sortie de classe, prétextant une envie pressante. Dans les toilettes, elle a téléphoné à sa mère pour lui dire qu'un élève, le fils d'un prof de français de troisième, l'avait agressée et qu'il menaçait de mettre des photos compromettantes d'elle sur la Toile. Sa mère a rapidement élaboré un plan pour sauver sa fille et est venue rencontrer le directeur de l'école. La rencontre a été brève, la mère a su coincer habilement ce dernier. À croire que ce n'était pas la première fois. En ressortant du bureau de la direction, elle a envoyé un texto à sa fille : « Tu dois dénoncer tout ce que tu peux dénoncer dans l'école... Ensuite, tout cela ne sera que du passé... »

À mon arrivée, Joëlle et le directeur sortent du bureau. Elle passe tout près, un papier cent fois plié tombe, je sens son parfum.

Assis, seul, dans le bureau du directeur, à attendre qu'il revienne avec un café, la voix de sa secrétaire dans l'interphone demande, sur un ton aussi grave que dans mon cas, à ce que Badoum et Fred se présentent ici, à leur tour.

Dire que dans trois quarts d'heure ma mère va débarquer dans le bureau. Que je me retrouverai devant elle, avec ce directeur bavard. Elle sera déçue à un point tel que je vais certainement fondre. Je vais fondre parce qu'elle me fera sentir comme un moins que rien. Pour elle, sa vie va s'effondrer. Tout tombera et n'aura plus de valeur. Parce que je l'aurai déshonorée. Parce que, par ma faute, la famille sera certainement montrée du doigt. Parce que, cette fois, je serai allé beaucoup plus loin qu'abîmer un de ses vêtements, beaucoup plus loin qu'avoir moins de 95 en maths, beaucoup plus loin qu'oublier de sortir les poubelles, beaucoup plus loin que ne pas reconnaître ma tante à l'épicerie. Toutes ces choses à cause desquelles elle m'aurait dit sur un ton coincé : « Tu es content, tu vas encore faire sortir ton père de ses gonds ! » Et selon elle, toutes ces choses pour lesquelles il m'aurait traité de mauviette. Toutes ces choses pour lesquelles j'aurais encore mangé une volée. Toutes ces choses pour lesquelles je serais marqué.

Dire qu'avant aujourd'hui Joëlle ne m'adressait pas la parole ! Puis, en un seul jour, elle m'a avoué des choses sur son passé, m'a touché l'épaule et m'a laissé une lettre d'une demi-page où elle me demande pardon. Lettre que je garde chiffonnée dans ma main gauche pendant que ma mère pleure un peu plus à chaque mot prononcé par le directeur.

Dire qu'avant qu'il nous délaisse pour aller enseigner à Paris, c'est mon père qui serait venu me chercher dans le bureau du directeur. Il aurait vite compris que c'était beaucoup plus grave que ce qui m'avait déjà mérité des raclées mémorables de sa part. Puis il m'aurait certainement dit en sortant de l'école, en me frottant fort le dessus de la tête : « Je savais que tu serais capable de devenir un homme ! »

RODNEY SAINT-ÉLOI

J'ai rêvé d'être un héros

« N'aie pas peur. » J'ai grandi avec cette phrase telle une prière. Je suis ce petit garçon accroché à la jupe de sa grand-mère. Et j'envisage déjà de devenir un héros. C'est mon plan, je n'ai rien dit à personne jusqu'ici. Car j'ai peur que ma carrière se brise une fois mes quatre volontés clairement exprimées. C'est ce que les grandes personnes, m'a-t-on dit, appellent quelqu'un de superstitieux. J'ai cherché dans le dictionnaire le sens du mot superstitieux : « Qui croit à certains présages favorables ou défavorables. *Ex. : Les personnes superstitieuses ne passent jamais sous une échelle.* »

Je suis un petit garçon qui arpente la ville. Moi, je passe sous n'importe quelle échelle et je fouille dans les ravins et les égouts. Vous voyez bien, alors, que je ne suis pas superstitieux. Je connais tous les quartiers. Je longe les corridors à n'importe quelle heure du jour et de la nuit. La géographie est une marelle pour nous. Avec mes deux *vityelo*[8], je sillonne Port-au-Prince. De la rue de l'Enterrement à la rue des Miracles, je pousse ma barque de petit malandrin, comme ils disent. Je monte vers Madame Colo et j'établis mon quartier général Place des héros. Rappelez-vous que j'ai toujours rêvé d'être un héros. Un vrai héros. À l'école, quand ils disent des zéros, on ne sait jamais quand le *h* du mot héros est aspiré et quand il est muet, je me rends compte qu'il n'y a pas vraiment de différence entre héros et zéro.

Et moi, je roule mon vélo, lentement, en regardant le Palais national, où le Président-Dictateur-Bon-Papa-Éternel-à-Vie enferme les âmes de tout le peuple. Petit palais blanc, tout le monde y rêvait. C'était ça qu'on appelait la maison du peuple. Mais le peuple était resté toujours loin, accroché au grillage de fer, et regardait sur le trottoir les lignées de voitures noires, autant de jouets pour le petit-président-dictateur Baby Doc. J'aimais regarder les paons aller et venir dans la cour du palais. Ils avaient cet air royal et empruntaient l'allure de la famille présidentielle. Il y avait aussi des pintades. Mais les pintades représentaient la milice populaire et étaient moins distinguées. On pouvait voir la différence entre les deux animaux par leur démarche, aussi par leur aisance à circuler dans la cour du Palais. Au Champ-de-Mars, on ne pouvait pas aller trop vite. On devait marcher au pas. Ma grand-mère disait que c'est comme dans la vie, et qu'il

---

8. Sur mes deux pieds. Vitiello est un marchand de chaussures italien réputé de la place.

faut apprendre à grimper un escalier, et la meilleure manière, c'est marche après marche. Un pas. Un pas. Pas après pas, répète-t-elle. Moi, je fais semblant d'étudier avec un livre ; à la vérité, je fume mes premières cigarettes. Je regarde les filles sauter à la corde. C'est mon spectacle préféré... les jupes qui dépassent à la criée des cordes. Je contemple les héros de l'indépendance et leurs atours. Je jure que j'aurai moi-même un jour une estrade, une statue de bronze comme Jean-Jacques Dessalines pour parader sur la place. Je poursuis mon rêve, les yeux ouverts...

Je suis un superstitieux. Oui, ici oui... je me contredis, hein, comme vous voyez, mais il n'y a même pas d'échelle. Je ne raconte rien de mes projets à personne. Je garde dans mon cœur ce rêve de devenir un héros et de combattre la dictature. Je suis le Che. C'était à deux bras de mer Cuba, le pays de Fidel. Sous mon oreiller, je gardais le portrait du Che, le béret avec la petite étoile, sur son cheval à la Sierra Maestra. C'était magique, le mot Che. Quand j'avais mal au cœur, je glissais dans ma poche cette photo. Je cherchais aussi à découvrir Charlemagne Péralte, ce jeune héros qui avait combattu tout seul l'occupation américaine d'Haïti. Mais le professeur qui avait cité le nom de Charlemagne Péralte dans la classe n'est jamais revenu. On ne sait pas pourquoi. Le directeur nous a fait jurer sur la tête de nos mères de ne jamais prononcer ce nom dans la cour de l'école. Il y avait aussi les chansons de Bob Marley. Je les fredonnais pour me donner des ailes. Je répétais très fort *Get Up, Stand Up For*

Your Right. Je chassais les «babylones» (j'appelais ainsi les miliciens de Baby Doc) et rêvais d'un monde pour moi, pour les oiseaux, les plantes, les mers et les poissons. Attention... Je ne veux pas parler trop fort. Je suis toujours en train de chercher mes mots. Je ne veux pas me tromper. Les «babylones» écoutent tout et transforment les paroles comme ils veulent.

Ici, on dit que les murs ont des oreilles. Plume ne bouge. Tranquille. Tout le monde garde comme des chiens leur rêve dans leur cœur. La caserne n'est pas non plus trop loin. Et les méchants miliciens ont la gâchette facile. Ils tirent à bout portant... et cela s'appelle *passer à l'infinitif.* Cela, vous ne le trouverez pas dans les dictionnaires. *À l'infinitif,* ça veut dire que tu n'es plus debout. Ils ne veulent pas dire le mot *cadavre*. C'est pas bon de dire des mots comme ça. C'était comme si le fusil avait effacé ton corps et ton nom au grand tableau noir de la vie. La caserne, disais-je, n'est pas trop loin. Le dictateur a voulu que toute la ville soit à ses pieds. Du Palais national où siègent tous les dinosaures de la République, tu peux voir la mer, le ciel, la ville, les montagnes, et de l'autre côté, des montagnes. Tous les matins, le dictateur dit à la radio: «Qui n'est pas avec moi est contre moi.» Il dit aussi pour faire peur aux gens: «La révolution mangera ses propres fils.» Une fois, un de ses hommes liges a parlé d'un *Himalaya de cadavres* pour menacer les gens qui pensaient faire du mal à la révolution en marche du Président-Dictateur. Je ne comprends pas trop bien le sens de ces mots. Mais j'aime le mot *Himalaya*. Les grandes personnes ont l'air tristes à pleurer chaque fois que je répète le mot *Himalaya*. Moi, je dis *Himalaya* simplement pour faire semblant d'être un jeune homme qui connaît parfaitement son dictionnaire. Le Président-Dictateur savait tout. Il avait l'œil sur les ministères, les marchés, les abattoirs, les hôtels... Il avait un œil ouvert sur les prisons, les hôpitaux, les morgues, les églises, les asiles et les quartiers. Car il a fallu tout domestiquer. Ne pas se risquer à ne pas savoir le moindre fait et geste des uns et des autres. Il a fallu domestiquer le vent. Il a fallu domestiquer les mers. Il a fallu domestiquer les roulements des tambours dans la nuit.

Alors qu'il était encore un bambin jouflu, le fils du dictateur, Baby Doc, a succédé à son père. Les mots ont pris un rude coup. Papa Doc avait déclaré qu'il était immortel et qu'il n'était pas concerné par la mort. Les gens y avaient cru. À la mort de Duvalier, heureusement qu'il y avait un grand vent, et on disait à la radio que le père de la nation n'était pas mort et qu'il se reposait dans les replis du vent et qu'il jetait toujours un œil sur la patrie bien-aimée confiée à Petit-Tigre-Baby-Doc, son fils, ce jeune leader du Tiers-Monde. Lui, il jouait avec de petites voitures et disait tous les matins la phrase suivante d'une voix enrouée : « Mon père a fait la révolution politique, moi, je ferai la révolution économique. »

À chaque carrefour où sont postés les macoutes, ces miliciens en tenue gros bleu, foulard rouge, qui chantent la gloire du Président-Dictateur-à-Vie, arborant le fusil droit sur l'épaule comme un porte-bonheur, grand-mère Tida me serre fort la main disant : « N'aie pas peur... *Dyab pa fè dyab pè.* Le diable ne fait pas peur au diable. » Elle adopte un ton faussement sévère, foulant le sol plus lourdement et répétant du fond de son cœur : « Si Dieu est avec moi, qui sera contre moi ? »

C'était au temps de la dictature et j'avais, je me rappelle, douze ans et des poussières. Je rêvais au père Noël. Je voulais une petite voiture rouge téléguidée. Je voulais aussi un cheval blanc. Je rêvais souvent d'avions qui partaient très loin dans le ciel. Je suivais au ciel les lignes blanches que laissaient dans les nuages des avions à réaction et j'avais du temps pour les compter, ces avions, et pour fabriquer après des dizaines d'avions en papier, dans l'espoir de voyager, d'aller loin, très loin, afin de découvrir d'étranges pays comme Tombouctou, Zimbawe, Omabarigore, Ozanana. Je ne connaissais ni la peur ni le diable. Je chantais avec Tida tous les matins des chansons tirées du Chant d'espérance qu'elle connaissait par cœur.

Et je disais toujours : « Le diable ne fait pas peur au diable. *Dyab pa fè dyab pè.* »

C'est ainsi que Tida et moi, nous avons piétiné les mots d'ordre de la dictature : se faire diable pour combattre les diables. Ne pas reculer. Avancer au cœur pourri du monstre. Le regarder dans les yeux. Faire face. Confronter le monstre pour qu'il se retranche dans ses repaires. C'est que le monstre a souvent peur. Mais personne ne le sait. Il suffit de dire, comme je le faisais, dans mes jeux d'enfants : « *Lougarou m pa pè m se moun ou ye.* Diable, je n'ai pas peur de toi, t'es un être de chair. »

Ma grand-mère m'a appris ainsi à ne pas avoir peur. Il faut nommer le diable pour le maîtriser.

Je pouvais marcher dans le noir et courir dans la savane, avec la sérénité de Tida, en slamant *Dyab pa fè dyab pè.* Et jusqu'ici tout a bien fonctionné.

J'ai tutoyé le mot malheur.

J'ai regardé les miliciens dans le blanc des yeux.

J'ai déclaré la guerre à la peur et au malheur.

J'ai dansé sur la tombe des dictateurs.

J'ai rêvé de longs voyages et d'amours.

J'ai craché au visage des miliciens.

En traversant les rues, je pensais à tout cela. Je me voyais Superman. Je voulais vaincre la peur. La peur de perdre la face si un jour, un de ces miliciens nous attrape, Tida et moi, et veulent nous foutre une raclée. J'étais ce garçon de douze ans, qui craquait et pissait dans sa culotte mais qui, pour rien au monde, ne laisserait en berne la dignité de sa grand-mère.

Ce ne sont que des mots, tout ça. Ah, la vérité est que j'avais peur des mots. Je ne sais comment. Mais ne le dites à personne. Je pensais que les mots pouvaient provoquer des accidents terribles. Feu. Le feu s'allumait dès qu'on disait le mot. Séisme. Et voici que la terre tremblait soudain.

Vous me pardonnerez assurément. Tout cela paraît confus. Car je suis un enfant qui a grandi trop vite. Avec la dictature, on doit vite devenir un adulte. Deux temps trois mouvements, on apprend que la vie et la mort sont dans le même panier. Moi, je suis un enfant qui ne ressemble pas à un enfant et qui n'a peur de rien... sauf des mots. Quand grand-mère Tida disait *Dyab pa fè dyab pè*, je vous dis mon secret, c'est alors que la peur s'est glissée ainsi sous ma peau. Le diable aussi. Car je ne savais pas qui était le diable avant. J'ai peur de ne pas avoir peur. J'ai éteint les lumières dans ma tête, et j'avance en jouant au soldat marron en disant: «N'aie pas peur... *Dyab pa fè dyab pè.*»

J'ai tout de suite confondu le diable et la dictature.

J'avais douze ans et j'avais appris à détester de toute ma force le mot dictature, le dictateur et les milices. Le mot *peur* et le mot *diable*. Tout cela se ressemblait étrangement. Et dans ma tête, c'étaient les mêmes mots.

La peur des mots... oui... si je dois devenir un héros, ce que je veux de tout mon cœur, je dois en finir avec la peur. Je pourrais alors écraser le grand Corps de la milice de Papa Doc et offrir au peuple le Palais national (mais qu'est-ce qu'ils appellent peuple) – le peuple, chez nous, je pense, n'oublie pas que je suis un gamin, ce sont tous ceux qui ont faim, et qui sont pauvres, on ne cite pas leur nom, on dit «ces gens-là»... pour les garder à distance de la bonne société. Ils sont pourtant nombreux chez nous, ces gens-là, c'est presque tout le monde. Je crois que ma grand-mère et moi, nous faisons partie du peuple. C'est pourquoi je dois devenir un héros, pour devenir quelqu'un. Pour sortir de la misère et pour leur donner un coup de pouce. Montez. Montez. Hop! À la radio, ils disent le peuple pour dire 90 % de la population. J'offrirais au peuple le Palais national et tous les privilèges. À mon âge, soit on est révolutionnaire, soit on n'est pas un être humain. J'ai vu un film et j'ai aussi lu un livre, je ne sais pas exactement le titre, c'est ce livre qui m'a appris à devenir un révolutionnaire. Par hasard, je suis dans la famille ce qu'on appelle un chasseur de mots. Je pars à la chasse aux mots. Je reviens le soir avec des mots nouveaux. Je les note dans un grand cahier quadrillé. Et je consulte les dictionnaires pour être sûr de ma provision de mots. Et comme les livres sont très rares, dans la ville, quand je vois un livre, je m'arrange pour partir avec. Vous devinerez comment, mais je vous le dis, en jurant sur la tête de ma grand-mère que personne ne peut m'accuser de voler quoi que ce soit. Un livre, c'est un livre, c'est comme pour le pain, c'est fait pour être partagé entre les enfants de bonne volonté.

Je me suis mis à lire ce maudit Robin des Bois. Qui ne sait pas qui est ce Robin des Bois? C'était un truand. Un bandit. Avant, cela existait. On pourrait bien trouver des synonymes. Mais j'aime mieux les définitions. Les synonymes ne sont jamais pareils. Pour les définitions, c'est du savoir pur comme du miel. Robin des Bois, disais-je, était très habile. Il se cachait dans les bois et volait l'argent des riches qu'il donnait aux pauvres. Ça fait longtemps déjà, ça, Robin. Aujourd'hui, les hommes à cravate, les banquiers, ont pris la relève. Eux, ils ne se cachent pas dans la forêt. Ils crachent, eux, sur les pauvres. Ils construisent des villes, des tours et des casernes dans les grandes villes. Ils amassent tout le fric. Ils le gardent pour eux. Pour leur bourse. Et tous les soirs, on parle d'eux à la télé, en disant la Bourse de New York, la Bourse de Londres, la Bourse de Toronto...

J'étais un révolutionnaire, regardez mon doigt, et vous verrez bien pourquoi, à mon plus jeune âge. J'étais un mélange de Robin des Bois et de quelque chose d'autre. Ne me demandez pas ce que c'est que ce quelqu'un d'autre, je ne sais pas. À cet âge, on n'est sûr de rien. On mélange tout. Notre corps grandit très vite, et nos pensées aussi. Sauf la phrase de Tida que j'avais en tête tous les jours : « N'aie pas peur », jusqu'à ce que je me rende compte qu'il y avait un petit trou noir qui se glissait sous ma peau. J'avais peur, en effet. Pas des animaux. Ils mangeaient tous dans ma main. Pas des adultes. Il suffit de leur donner raison et de faire semblant d'être un enfant... Sous la dictature, tout le peuple doit se comporter comme des enfants. Et cela conforte le dictateur. Je reviens avec ma peur. Ah! j'avais oublié. Ce sont les mots qui font peur. Une fois, j'avais dit *allumettes*. Et la maison a failli passer au feu. Le dictateur, disait Tida, ma grand-mère, n'aime pas les mots. Les miliciens fouillaient les maisons. Et ils brûlaient tous les livres. Surtout les livres rouges. Là, je ne sais pas pourquoi ils n'aimaient pas la couleur rouge. Ils voyaient noir, les miliciens, quand les livres étaient rouges. Dans la ville, les gens savaient quels étaient les mots interdits. Tous les mots qui se terminent en -*isme* ou en -*tion* : communisme, présidentialisme, exorcisme, alphabétisation, démocratisation, libéralisation, ou même des mots simples comme liberté, égalité, fraternité, partage, respect, justice, honneur, révolution, solidarité, droits de l'homme. Quand je serai grand, j'écrirai un livre pour raconter que les mots sont des bombes à retardement et qu'il faut savoir comment les manipuler. Voyez-vous pourquoi je ne dis jamais à personne que je suis un héros ? Dès qu'ils le sauront, ils s'arrangeront pour me prendre au sérieux et je deviendrai alors ce jeune homme qui nous rebat les oreilles avec sa douce folie de devenir un héros.

SONIA K. LAFLAMME

Le monstre

Ma vie n'a qu'un sens. Un sens descendant qui m'aspire dans un gouffre sans fond.

Je me souviens quand j'étais plus jeune. Je redoutais le moment où ma mère me bordait et éteignait la lumière de ma chambre. L'obscurité tombait alors d'un coup sur moi et m'angoissait. J'avais peur des monstres qui risquaient de jaillir de sous mon lit et du placard. Ma mère devait le deviner, puisqu'elle me répétait sans cesse que ces êtres fantastiques n'existaient que dans les contes.

Je sais depuis longtemps qu'elle avait tort. En fait, les différentes formes que peuvent prendre les monstres n'ont rien à voir avec les esprits frappeurs, les vampires ou les zombies. Au contraire, il leur arrive de se cacher dans des personnes en apparence gentilles, charmantes et sans reproches.

Dans le cauchemar éveillé qui me hante depuis le début de l'année scolaire, le monstre s'appelle Samuel. Il me domine, m'écrase et me traque.

Il a commencé par m'adresser des regards soutenus. Au fil des jours, ceux-ci se sont emplis d'une haine palpable. Ensuite sont venues les insultes, chuchotées quand il me frôlait dans les corridors de l'école. Elles se sont transformées en menaces, puis en attaques physiques. Il m'a bousculé à quelques reprises près des casiers. Lors d'une sortie à la piscine municipale, il a réussi à m'enlever mon maillot de bain. La honte! J'ai dû sortir de l'eau sous le regard incrédule des profs et celui, moqueur, de mes camarades de classe. Un jour, après les cours, je suis allé faire des recherches à la bibliothèque. Je suis revenu par l'aile qui donnait à mon casier. Cette section de l'école était déserte. Alors que je descendais l'escalier, il m'a lancé un dictionnaire du haut de la balustrade du niveau supérieur. Je l'ai presque reçu sur la tête! Il compte aussi à son actif une dizaine d'agressions au couteau, discrètes, mais efficaces, au cours desquelles il s'est emparé de mon porte-monnaie pour voler mon argent.

La semaine dernière, il a récidivé d'une manière horrible. La seconde cloche venait de sonner, et j'avais une urgente envie d'aller à la toilette. Samuel me suivait sans que je m'en rende compte. Tandis que j'entrais dans un des cabinets, il m'a pris par le cou et m'a plongé la tête dans la cuvette. Je me suis débattu pour éviter la culbute.

En vain. Quand je me suis relevé, les cheveux et le visage dégoulinant, il s'était déjà éclipsé. Alarmé par mes cris de dégoût, un surveillant est venu à mon secours. Il m'a aidé à me laver et à me sécher avant de me reconduire au bureau du directeur.

N'en pouvant plus de supporter une violence gratuite, j'ai pris mon courage à deux mains. Pour la première fois, j'ai tenté de raconter ce que je vivais. L'homme ne m'a pas cru. Pas une seconde. Dans son esprit, Samuel Fiset ne pouvait pas être un garçon comme «ça». Un autre élève, peut-être, mais pas lui.

— Vous vous rendez compte, jeune homme, que vous accusez le meilleur joueur de l'équipe de soccer, celui qui a compté le but gagnant au championnat de l'an dernier? Celui qui est responsable de superviser les séances d'aide aux devoirs des élèves de première secondaire? Celui qui empaquette les achats à l'épicerie, chaque jeudi soir, avec le sourire et un mot gentil? Celui qui a amassé le plus de fonds lors de la collecte pour les enfants malades?

Oui, en plein lui, le p'tit gars parfait dont rêvent les directeurs d'école et les mères de famille. Grâce à son implication sociale, le monstre soulève l'admiration. Sauf que s'il a récolté les grands honneurs de la campagne de financement, c'est en partie grâce à mon argent de poche!

Compte tenu de l'air réprobateur de l'homme, je me demande s'il ne pensait pas que je m'étais moi-même mis la tête dans la toilette !

De retour à la maison, j'ai compris en voyant la déception dans le regard de ma mère que le directeur l'avait mise au courant.

— Depuis la mort de ton père, tu n'arrêtes pas de t'isoler, dit-elle d'une voix triste. Tu prétends que les autres ne comprennent pas ce que tu vis. Tu dis que les voir avec leur père te rappelle ce à quoi tu n'auras plus jamais droit...

Elle a fait une courte pause avant de reprendre :

— Tu as décidé de punir les autres parce que la vie est injuste ?

C'est vrai que le départ et l'absence de mon père me sont toujours pénibles, même après deux ans de deuil. Mais pas au point de tout mélanger comme elle le suppose. Résultat : elle non plus, elle ne m'a pas cru, pensant à coup sûr que seule la jalousie peut me motiver.

En ce qui me concerne, Samuel agit seul, sans complice ; personne n'assiste à ses séances d'intimidation. Mais il y a pire. Contrairement à lui, je ne suis pas très sportif, je n'ai pas d'emploi à temps partiel, je ne fais pas de bénévolat et je suis toujours seul. Dans ces circonstances, ma voix ne compte pas. Elle ne vaut rien.

Ce soir-là, mon esprit terrorisé a établi un calcul élémentaire :

Le directeur va demander à son personnel de me surveiller davantage.

✠

Samuel Fiset va alors avoir plus de difficulté à agir en toute impunité.

✠

Il va devoir élargir son champ d'action au quartier où nous habitons s'il veut continuer de sévir à mes dépens.

Je ne me sentirai plus en sécurité nulle part...

Je passerai mon temps à me demander si le monstre n'est pas caché quelque part, attendant le bon moment pour me tomber dessus.

Une seule solution s'est imposée à moi : ne plus bouger de la maison. Oui, voilà l'unique moyen de lui échapper. J'en avais assez d'avoir peur.

Depuis une semaine, donc, ma mère tente de me forcer à retourner à l'école. Pas de chance pour elle : je viens de célébrer mes seize ans. Je tiens beaucoup plus à ma vie qu'à un diplôme d'études secondaires !

— C'est plus qu'un simple bout de papier, Olivier ! oppose-t-elle avec vigueur. Tu as pensé à ton avenir ?

Justement, je ne fais que ça !

Chaque matin, elle part travailler, inquiète de ce qui m'arrive. Elle m'inonde ensuite d'appels sur mon cellulaire, histoire de s'assurer que je ne fais pas de bêtises.

— Je vais arrêter de te harceler quand tu retourneras à l'école, me promet-elle. Pas avant !

Je n'ai pas le temps de lui dire que son chantage ne sert à rien qu'au même moment, on sonne à la porte. Je m'empresse d'aller ouvrir. Mon sang se glace aussitôt.

— Salut, Olivier... Je viens t'apporter les devoirs et exercices des journées d'école que tu as manquées...

Le monstre est là, devant moi ! Samuel Fiset joue encore une fois le rôle de l'élève irréprochable.

Je tente de refermer la porte. Il la repousse cependant avec une telle force que je me retrouve par terre. Mon cellulaire, quant à lui, effectue un vol plané en direction du salon. Puis la porte claque. D'un mouvement d'épaule, le monstre se débarrasse du sac, qui s'écrase sur le carrelage.

— Je m'ennuie de toi, Olivier, affirme-t-il feignant un désespoir presque amoureux. Tu vas revenir, n'est-ce pas ?

Affolé, je m'éloigne en rampant sur les fesses. Je me retourne sur les genoux, prêt à m'enfuir, quand le monstre m'agrippe le chandail. D'une poigne solide, il retourne mon bras gauche dans le dos. Je grimace de douleur.

— Tu pensais que si je te voyais plus, j'allais t'oublier ? susurre-t-il à mon oreille. Que ce serait fini, c'est ça ? Eh bien, laisse-moi te dire une chose : c'est moi qui décide des règles du jeu ! Est-ce que c'est clair ? T'es à moi, Olivier Tanguay...

Quel mauvais traitement me réserve-t-il ? Avec quel degré de sadisme le mettra-t-il à exécution ? Je dois renverser la vapeur. Avec l'énergie du désespoir, je parviens à me dégager suffisamment de sa prise pour attraper le sac d'école qu'il a apporté. De toutes mes forces, je le balance dans les airs en décrivant un large cercle.

Deux bruits assourdis se succèdent dans un très court laps de temps. D'abord, celui que produit le sac contre la tête de mon adversaire. Ensuite, celui que fait sa tête en heurtant la première marche de l'escalier. Samuel gît maintenant à mes pieds. Ses paupières clignent. Un filet de sang apparaît sur sa tempe.

Le monstre n'est pas aussi fort qu'il le croyait. Pas autant que je le pensais. Un sentiment étrange m'envahit. Un bonheur féroce s'empare de mon être. Quelque chose se rompt en moi. Une vanne s'ouvre et laisse enfin libre cours à une rage trop longtemps refoulée.

Cette fois, les rôles sont inversés. Et c'est moi qui l'empoigne, avec une brutalité qui m'étonne moi-même.

* * *

Je l'observe en silence. Le filet de sang a séché sur sa tempe. Sa poitrine se soulève de façon régulière sous le tissu de son polo. Attaché au fauteuil du salon, il est toujours inconscient.

Puis il émet un faible gémissement. Sa tête bascule d'une épaule à l'autre. Ses paupières se soulèvent. Son regard attrape le mien. Bien que les rôles soient inversés, le monstre ne se débat pas. Il ne cherche pas à se débarrasser des attaches autobloquantes qui lui maintiennent les bras aux accoudoirs et les jambes aux pattes du siège. Il ne crie pas. Il ne profère aucune menace. Il se contente de parler d'une voix posée.

— Qu'est-ce que tu vas faire de moi ?

J'ai mille fois rêvé de ce moment où je pourrai assouvir ma vengeance. Et pourtant, j'hésite. Mon regard parcourt la pièce assombrie par les stores fermés. Seul le tic-tac de la pendule brise le silence.

— Ce que j'aime chez toi, Olivier, c'est que tu parles jamais, constate-t-il. Ça simplifie les choses. Mais si tu crois que tu viens de prendre le contrôle de la situation, eh bien, laisse-moi te dire que tu te trompes !

Au bout de ma main droite, la lame de son couteau se déploie sur un clic sonore. Je le lui ai piqué pendant qu'il était évanoui. De nouveau, la réaction de Samuel me surprend. La perspective de se faire taillader ne semble guère le préoccuper. Bien au contraire.

— T'es tellement ridicule, Olivier ! s'esclaffe-t-il.

Mon menton s'abaisse sur ma poitrine. Mes yeux s'embrument, mes narines se dilatent, mon poing se crispe autour du manche du couteau. La haine qu'il a injectée goutte à goutte en moi approche du point critique d'ébullition.

Le monstre continue de me provoquer avec son sourire moqueur.

— Tu me fais penser à cette pauvre petite Cath... J'ai pas eu le temps de m'amuser. Pas assez à mon goût, en tout cas. N'empêche que je l'ai manipulée comme une poupée. Tu peux pas t'imaginer à quel point c'est enivrant de détenir autant de pouvoir sur une autre personne. Ça ressemble à une drogue. Et là, j'ai besoin de ma dose...

Je déteste sa voix tranquille. Je hais son arrogance que je ne parviens pas à ébranler. J'en ai mal à la tête. J'ai de la difficulté à respirer. Je n'y vois plus clair.

— Tu comprends ce que je dis, Olivier ? insiste-t-il. Je suis un dieu. Je gouverne ton monde. J'ai droit de vie ou de mort sur toi, même en étant vissé dans ce foutu fauteuil !

Les muscles de mon corps tremblent tant ils sont contractés. Mon cœur cogne fort dans ma poitrine. Je n'ai plus peur de Samuel Fiset, mais bien de moi, de ce que je pourrais lui infliger. Des images de sang qui gicle, de tortures et de lente agonie affluent d'un coup dans ma tête. Elles provoquent en moi un désir troublant.

De toute évidence, il puise dans ma confusion son énergie destructrice, puisqu'il me nargue en désignant du menton son couteau :

— Sais-tu au moins t'en servir ?

Tout s'obscurcit d'un coup. En fait, non. Ce qui m'entoure devient rouge. Rouge sang. Comme le sang chaud et épais. Mes oreilles bourdonnent. Mes jambes vacillent.

— Olivier ? T'es toujours avec moi ?

N'en pouvant plus de supporter sa voix doucereuse, je brandis le couteau devant lui.

— Tu t'es déjà demandé quel est le sens de la vie ?

Je poursuis mon élan, je me retrouve tout contre lui. La pointe du couteau effleure sa gorge.

— La vie n'a pas de sens, conclut-il. Surtout pas la tienne.

Dans ses prunelles maléfiques, j'aperçois le reflet de mon visage transfiguré. J'ai du mal à me reconnaître. Pourtant, c'est bien moi. Un autre moi. Sombre, fou, à bout.

— La vie, c'est juste du désir, enchaîne-t-il. Désirs de domination, de mort, de vengeance, de souffrance, de gloire… Quand on accepte ce qu'on est au plus profond de soi, on sait ce qui nous pousse à agir. Et on le fait.

Ses paroles me déroutent. Et si par malheur il disait vrai ?

— T'es un faible, Olivier. T'es pas capable de te relever, de reprendre ta vie en mains. Tu t'écrases au moindre coup dur. Tu me fais pitié!

Va-t-il se la fermer?

J'appuie un peu plus la lame sous son menton. Deux ou trois gouttes de sang perlent contre le métal. En dépit de sa position précaire, le monstre demeure maître de lui, de ses émotions, de la situation.

— T'es pas fait de la même pâte que moi, Olivier, renchérit-il. Ma mort n'entraînera pas ta libération. Tu l'auras sur la conscience. Tu parviendras pas à vivre avec l'idée d'être devenu un assassin. Ça sera pire que tout ce que je t'ai fait subir. Tu vas sombrer encore plus bas. Ce sera le centre d'accueil. Et après, l'aile psychiatrique...

Ses prédictions me font suer. Il me connaît par cœur, comme s'il logeait dans ma tête.

Mon cerveau analyse les options à une vitesse fulgurante. Si je lui tranche la gorge, je perds. Il l'a dit: la détention puis, avec une probabilité élevée, la folie. Et qui sait ensuite, peut-être le suicide! Si je lui laisse la vie sauve, il prétendra néanmoins que je l'ai agressé, séquestré, menacé de mort avec un couteau. Il serait même capable de s'automutiler pour mieux appuyer sa déposition. Ça se terminera encore de la même manière.

Les faits jouent contre moi. Mort ou vif, il triomphe. On va l'élever au rang de saint martyr. Je suis fait. Comme un maudit rat !

Je me redresse et recule. Le couteau glisse de ma main, tombe sur le tapis. Je me trouve dans une impasse. Il le devine, et ça l'amuse. Son gloussement de hyène s'amplifie.

— Ah, Olivier ! lance-t-il, réjoui par mon incapacité à me tirer de ce mauvais pas. Avec toi, ç'aura été un peu plus long, mais quand même facile.

Dans ma tête, je ressasse des paroles qu'il a prononcées un instant plus tôt : « Je décide des règles du jeu... Tu me fais penser à cette pauvre petite Cath... Droit de vie ou de mort... »

Un visage s'impose à mon esprit. Celui d'une fille délicate et timide, Catherine Desgranges, morte il y a environ deux ans. Retrouvée pendue chez elle, dans le grenier. Bon sang ! Elle n'avait alors que treize ans. On s'est tous demandé ce qui l'avait poussée à s'enlever la vie. Personne n'a jamais rien compris à cette triste histoire. Pauvre Cath, oui. Parce qu'un second détail rejaillit maintenant du passé : son voisin d'en face était... Samuel ! Aucun doute ne plane dans mon esprit. Les séances d'intimidation répétées du monstre l'ont conduite à commettre l'irréparable !

Un bourreau, un tortionnaire en série, voilà ce qu'il est. S'il s'en tire, il recommencera. Et il n'en est pas question. Je suis prêt à assumer les conséquences de mes gestes.

Je reprends donc le couteau, je m'avance, je fonce vers le monstre, bien déterminé à…

— Arrête, Olivier! crie soudain une voix dans mon dos.

Samuel et moi sursautons. Ma mère approche à toute vitesse et m'enlève le couteau des mains. Elle me saisit le bras.

— Tu vas bien, Olivier?

— Madame Tanguay! pleure le monstre en bon comédien. Dieu merci, vous êtes là! Je sais pas ce qui lui a pris… Il est devenu fou!

Sans crier gare, ma mère lui assène une gifle monumentale. Toujours attaché au fauteuil, il se récrie:

— Qu'est-ce qui vous prend, bon sang? C'est lui que vous devriez frapper, pas moi!

Je ne comprends rien à rien. Ma mère me jette un regard coupable.

— Je te demande pardon, Olivier. Je m'en veux tellement. J'aurais dû te croire sur parole. J'avais si peur de ne pas arriver à temps…

Stop! Est-ce qu'on peut faire marche arrière, là? Parce que j'ai l'impression d'avoir manqué un bout crucial…

— C'est quoi, votre problème? s'indigne le monstre d'une voix agacée. Détachez-moi tout de suite!

Ma mère se tourne de nouveau vers lui. Elle exhibe son téléphone cellulaire et l'agite.

— T'es mal placé pour exiger quoi que ce soit, toi. J'ai tout entendu. Et tout enregistré !

Là, ça fait tilt dans ma tête. Mon téléphone ! Il a volé dans les airs jusqu'au salon quand Samuel est arrivé et m'a bousculé. L'appareil est là, par terre, à quelques pas de nous. Toujours allumé !

Le visage du monstre blêmit. Ma mère vient de bouleverser ses certitudes, de compromettre son règne de la terreur. Il me reprochait de ne jamais dire un mot ; eh bien ! lui, il parle trop. J'esquisse un sourire discret. Le premier depuis des mois, il me semble.

Après deux longues années de deuil, j'entrevois enfin une éclaircie. Ma vie vient de trouver un sens. Un sens ascendant qui me permettra de reconquérir ma dignité, mais aussi de fournir de nouveaux éléments de preuve dans le dossier de Catherine Desgranges.

Par contre, ce qui me fait le plus suer, c'est de constater qu'il a fallu un monstre pour provoquer mon retour à la vie.

SYLVIE BRIEN

Le petit Chose

J'ai tenté de toutes mes forces d'oublier cette histoire macabre, mais elle me hantera tant et aussi longtemps que je respirerai. Lorsqu'il m'arrive de repenser aux faits étranges qui se sont produits dans la petite ville de A..., peu avant les fêtes de Noël de 19..., les poils de mes bras se hérissent encore.

Vous raconter ces événements pourra-t-il me les faire oublier ? Je le souhaite du fond du cœur, mais je vous mets aussi en garde : s'ils disparaissaient enfin de ma mémoire endolorie, ce ne pourrait être que pour mieux investir la vôtre. En d'autres mots : ce ne serait ni plus ni moins qu'un transfert d'obsession. Et je ne m'en tiens pas responsable, tenez-vous-le pour dit.

* * *

J'avais quinze ans. En ce matin du 18 décembre 19..., je sautais littéralement au plafond. Quelle chance ! J'avais réussi à décrocher mon premier emploi et, mieux encore, je commençais à travailler le soir même ! Je me voyais déjà riche à craquer et, surtout, enfin capable de me payer le cours de conduite dont je rêvais depuis tant de mois.

Pourtant, au lieu de me féliciter, papa m'avait assommée de conseils : « Un boulot peut nuire à tes études, tu n'auras plus de temps pour te reposer durant les Fêtes. » Ou encore : « Tu es trop jeune pour être responsable toute seule d'une boutique. » Bref, rien pour encourager les efforts de sa fille. J'en fis à ma tête, naturellement. Après tout, j'avais hérité de son caractère.

Dès la classe terminée, je courus donc jusqu'à la boutique de laine de madame Robert. Je replaçai la mèche rebelle de ma frange derrière mon oreille, inspirai profondément et poussai la vieille porte, qui craqua lugubrement sur ses gonds. Une odeur de moisi envahit aussitôt mes narines en même temps que fusait le tintement de la clochette accrochée à la poignée de laiton.

« Un emploi de vendeuse de laine artisanale, de 16 heures à 21 heures. Devra tenir boutique seule » spécifiait l'annonce publiée dans le journal local. Toutefois, le mot « seule », très vite, me causa un petit souci, car dès le premier soir je m'ennuyai déjà en tenant compagnie à mes pelotes. La température était abominable et le tricot, absolument boudé ! Quel ennui ! J'eus comme seule cliente une vieille dame qui désirait s'approvisionner en laine verte pour un projet de pantoufles en macramé. L'horreur ! Elle ne daigna pas délier les lèvres, qu'elle avait d'ailleurs sèches et pincées, et jeta des regards affolés autour d'elle en faisant un rapide signe de croix tandis que j'emballais ses achats. Elle était si pressée de sortir du magasin qu'elle se fouetta l'arrière-train avec ses bottes de caoutchouc! Je soupirai. Avec mon sourire engageant, ce n'était pourtant pas moi qui faisais fuir la clientèle! La pauvre femme avait peut-être peur d'être attaquée par des aiguilles à tricoter, ou alors elle n'avait pas toute sa tête.

Je me retrouvai à nouveau seule à errer entre les rayons. «Demain, au lieu de perdre mon temps, je préparerai mon test de mathématiques en attendant les acheteurs», décidai-je avec sagesse.

Pourtant, le deuxième soir, la sonnette de la porte avait retenti vers 18 heures, ce qui augurait mal pour une révision d'examen. Je me souviens parfaitement de l'heure, car il s'agissait de mon premier client. Il faisait déjà nuit noire à son arrivée. Sourire aux lèvres, j'eus d'abord le réflexe de regarder vers le haut de la porte. Personne. Je baissai alors un regard abasourdi sur le gamin de cinq ou six ans qui passait le seuil. Solitaire, son sac d'école sur le dos. Le froid s'engouffra en même temps que lui dans la boutique.

— Bonsoir, avais-je lancé, quelque peu désarçonnée, en boutonnant ma veste. Ta maman t'accompagne?

Il n'avait pas répondu, se contentant de s'immobiliser devant le comptoir où je me tenais, pour me dévisager gravement. Son regard marron, infiniment triste, m'avait aussitôt poignardé au cœur. Avec son visage blême et émacié, ce garçonnet me parut malade. Sans plus s'occuper de moi, il s'en alla explorer les rangées du magasin, en examinant avec attention toute la marchandise. « Comme si des accessoires de tricot pouvaient intéresser des enfants de maternelle ! » songeai-je avec dérision. Il enleva sa tuque et je remarquai alors ses cheveux bouclés, trop longs, noirs comme du charbon.

— Tu cherches quelque chose ? Je peux t'aider, si tu veux, l'informai-je sans bouger, mais en haussant la voix, car l'enfant se trouvait à ce moment dans la dernière allée.

Là où il était, je le voyais parfaitement. En guise de réponse, il frotta ses mains avec énergie. Le gamin semblait frigorifié. Je constatai à cet instant qu'il ne portait pas de mitaines et que son manteau, trop petit et démodé, en était un d'été, fait de nylon grossier.

De toute évidence, la famille de mon jeune visiteur était pauvre et l'enfant n'achèterait rien. Alors, qu'est-ce que c'était que cette histoire ? Quelques doutes s'insinuèrent en moi. Peut-être avais-je affaire à un voleur et fallait-il le tenir à l'œil ? Mais aussitôt émise, ma pensée me parut franchement ridicule. Voler de la laine, et pour quoi faire ? Tricoter, peut-être ? Pouffant de rire, j'ouvris la radio, qui diffusait ce soir-là des airs de Noël, et j'offris au garçon quelques bonbons et caramels dont madame Robert gratifiait les clients. Il accepta les friandises avec empressement. Je replongeai le nez dans mon bouquin, oubliant tout de mon visiteur. J'étais si concentrée que je sursautai violemment quand il se pencha à mon oreille une demi-heure plus tard.

— C'est quoi ton nom ? me demanda-t-il, en suçotant une canne de bonbon.

Sa voix, que j'entendais pour la première fois, était presque inaudible. Elle sonnait la ferraille.

— Camille, répondis-je mollement sans lever le nez de mon livre. Et toi ?

— Chose.

Je redressai la tête en étouffant un fou rire.

— Chose ? C'est pas un vrai prénom, ça ! répliquai-je.

— Je ne me souviens pas du vrai, m'assura-t-il de sa drôle de voix enrouée. Maman m'appelle toujours Chose.

— Ha.

« Pauvre petit », pensai-je. Je secouai la tête avec impuissance et replongeai dans mon algèbre, tandis que le gamin s'assoyait sagement sur le tabouret à côté de moi. Il me tint ainsi compagnie une bonne heure et demie, tout en se balançant au rythme des chansons de Noël et en se goinfrant de caramels. Puis, sans une explication, il repartit d'où il était venu.

À mon grand étonnement, le même manège se répéta le lendemain soir, à la seule différence que, cette fois, le petit Chose resta avec moi jusqu'à la fermeture de la boutique. Sa présence me rendait vaguement mal à l'aise, sans que je sache trop pourquoi.

— Il faudrait que tu rentres chez toi. Ta maman va s'inquiéter. Elle doit sûrement t'attendre pour le souper, lui avais-je pourtant répété avec douceur, mais à plusieurs reprises.

— Ma maison est fermée à clé, avait-il rétorqué avec maladresse.

— Ta porte est verrouillée et tu n'as pas la clé ? compris-je.

— Maman refuse de me la donner, elle a peur que je joue avec les allumettes.

— Et ta mère n'a pas engagé de gardienne pour toi ? demandai-je encore.

Il secoua la tête d'un air sombre.

J'étais catastrophée. Pauvre petit ! Il n'avait nulle part où aller et devrait sans doute attendre très tard avant de souper. Quelle affaire...

Je ne pouvais toutefois me résoudre à le chasser. L'imaginer accroupi dans la neige alors qu'il faisait un froid extrême dehors m'était inconcevable. Malgré le risque d'être disputée par madame Robert, je décidai donc de le garder à nouveau avec moi, soulagée de le savoir à mes côtés. J'étais même assez contente qu'il me tienne compagnie, car cette soirée sans clientèle risquait d'être longue et mortelle à souhait !

Il fut donc convenu que si un client entrait, l'enfant disparaîtrait au fond de la boutique, ni vu ni connu. «Je ne voudrais surtout pas avoir d'ennuis avec ma patronne, tu comprends?» expliquai-je. Le petit Chose comprit et ainsi fut-il fait.

Le troisième soir, j'avais tout de même été diablement mal prise d'entendre la clochette de la porte retentir à dix-huit heures tapantes, en même temps qu'un courant d'air s'engouffrait dans la boutique. Je ressentis un serrement au cœur en reconnaissant la pâle frimousse du garnement dans l'entrebâillement.

— Je peux entrer pour me réchauffer, s'il te plaît? m'avait-il demandé d'une voix traînante et suppliante.

J'avais acquiescé avec un sourire contraint. Mais qu'est-ce que c'était encore que cette histoire? Ce gamin n'avait donc aucun autre endroit pour se réfugier? Il n'avait donc ni famille ni amis?

— Bien sûr, tu peux entrer, à condition que tu ne déranges pas les clients et que tu ne touches à rien, soupirai-je, juste pour la forme.

Puis, fouillant mon sac d'école à la recherche de ce que j'y avais déposé en prévision de sa visite, j'ajoutai:

— Tiens, débarrasse-moi de ce sandwich au beurre d'arachide, je n'ai pas faim. Dis-moi, où habites-tu?

Il s'était jeté sur ce maigre repas comme si c'eût été son dernier.

— Sur la rue d'en arrière, répondit-il, la bouche pleine.

Je tâchai de lui tirer davantage les vers du nez :

— Ta maman n'est pas à la maison quand tu rentres de l'école ?

Il secoua la tête.

— Elle travaille. Je t'ai dit hier que j'avais pas la clé, répondit-il.

Puis, me sortant le mot que je lui avais appris la veille :

— Maman a verrouillé la porte, même si elle est dans la maison.

J'arrondis les yeux.

— Quoi ? Ta maman est chez toi et elle refuse de t'ouvrir la porte ? m'écriai-je avec stupéfaction.

Dehors, le thermomètre affichait -25 °C ! Quelle sans-cœur, cette femme ! De grosses larmes roulaient sur les joues de l'enfant tandis qu'il m'expliquait :

— Je sonne, je cogne à la porte, je tourne la poignée, mais maman ne veut pas m'ouvrir. Elle me regarde d'un air méchant derrière la vitre. Elle ne veut plus de moi, elle veut m'abandonner !

Il éclata en sanglots. Bouleversée, je me précipitai pour serrer l'enfant contre mon cœur. Il était terrifié, transi et totalement glacé. Oh ! mon Dieu, il était si froid, si froid... Je le berçai un moment, puis mouchai son petit nez morveux, couvert de taches de rousseur. Je tentai de le consoler en lui offrant de nouvelles friandises, mais je me sentais toute bête. Que devais-je faire ? J'étais décidée à demander conseil à mes parents en rentrant à la maison. Peut-être faudrait-il qu'ils téléphonent à la police ou à la Protection de la jeunesse ? Malheureusement, à mon retour, mes parents ronflaient déjà et je n'osai les réveiller.

Le lendemain, soit l'avant-veille de Noël, fut un jour de tempête. Il n'y eut pas d'école et madame Robert décida de fermer sa boutique vers midi. Elle me téléphona pour m'avertir de ne pas venir travailler comme prévu à seize heures. Je m'inquiétai aussitôt pour mon petit visiteur. Où irait-il se réchauffer et que mangerait-il ?

Contrant le blizzard, je galopai jusqu'à la boutique pour y trouver la commerçante qui verrouillait justement sa porte. Je lui racontai alors sans réfléchir les visites du garçon et mes inquiétudes qui allaient grandissantes. En m'écoutant, madame Robert parut bouleversée. Elle fronça sur moi des sourcils en accent circonflexe. Elle me tira finalement par la manche jusqu'à l'intérieur de la boutique.

J'allais sûrement passer un mauvais quart d'heure. Peut-être le fait d'avoir accueilli ce garçon me vaudrait-il même un congédiement ? Mais à dire vrai, je m'en balançais. Si je perdais ma place, ce serait tant pis pour elle !

Madame Robert se réfugia derrière son comptoir et me dévisagea en secouant la tête. Elle poussa finalement un énorme soupir.

— Il est donc revenu ? me lança-t-elle d'une voix que l'émotion rendait suraiguë.

Je n'en revenais pas, je n'y comprenais rien.

— Quoi... quoi ? Vous connaissez ce petit garçon et vous ne l'avez pas... pas aidé ? bégayais-je, incapable de me taire.

Je ne me souciais plus ni du risque de perdre mon emploi ni de l'entrée éventuelle d'un client. Désormais, seul ce bambin m'importait.

Sans chercher à se défendre, madame Robert laissa échapper un nouveau et interminable soupir, son regard s'agrippant au mien. Elle se mit ensuite à fouiller dans une armoire. Au bout d'un moment, elle en tira un journal, qu'elle ouvrit et déposa sur le comptoir, juste sous mon nez.

Surprise, j'y jetai un coup d'œil. Ce journal datait d'une vingtaine d'années, et une photographie s'étalait sur la moitié droite de la page jaunie. En la détaillant, je perdis aussitôt le souffle : c'était le visage du petit Chose. La photographie était coiffée d'un titre en lettres cramoisies : *Mort de froid la veille de Noël*.

Ce garçonnet était mort. MORT. J'étais absolument sidérée. Je me trouvais incapable d'articuler un seul mot et je vacillai sur mes jambes. Madame Robert, dont les yeux s'étaient remplis de larmes, me fit aussitôt asseoir. Elle me servit un verre de cognac, que je refusai net, naturellement, mais qu'elle but d'une traite. Ses doigts tremblaient. Avec une voix lointaine et brisée, elle amorça alors un pénible récit.

— Il s'appelait Éric. Il habitait un logement avec sa mère, juste derrière ma boutique, expliqua-t-elle d'une voix vacillante. Éric venait souvent se réchauffer ici après l'école, quand sa mère travaillait et qu'il faisait trop froid dehors. Elle refusait de lui laisser la clé, prétextant qu'il pouvait jouer avec des allumettes et mettre le feu. Cet hiver-là, je l'ai souvent accueilli dans ma boutique. Il retournait chez lui une fois sa mère rentrée du boulot. Cela a duré presque deux mois, mais le 23 décembre, j'ai dû fermer le magasin pour les vacances. Mon mari et moi avions projeté de faire un voyage. Je me souviens d'avoir été occupée par des achats de dernière minute et la préparation des bagages. J'ai donc fermé le magasin, sans me demander ce qu'il adviendrait du pauvre petit. Je l'ai poussé dehors à la fermeture, en lui souhaitant Joyeux Noël.

Et, comme pour elle-même :

— Joyeux Noël... pauvre idiote !

Elle soupira et remplit de nouveau son verre. J'étais accrochée à ses lèvres, comme l'une de ces gouttelettes d'alcool accrochées à ses commissures.

— Si j'avais su ce qui arriverait, je ne serais jamais partie, affirma-t-elle, les yeux fixés au plafond écaillé. À mon retour de voyage, les voisins m'ont dit qu'on avait retrouvé l'enfant devant ma porte, au matin de Noël. Mort gelé. Abandonné de tous. Sa mère était allée fêter avec des amis et elle n'était pas rentrée. Depuis ce temps, les gens du quartier croient que ma boutique est hantée.

Elle disait vrai, comme me le confirmait l'attitude de ma première cliente ! Madame Robert pleurait à chaudes larmes, mais je fus incapable de la consoler.

Ce soir-là, je déambulai longtemps dans le quartier, la tête en feu et les yeux rivés aux fenêtres du logement qui se trouvait derrière la boutique de laine.

Le vieil employé du dépanneur du coin, où je m'arrêtai un moment pour me réchauffer, me raconta que la mère d'Éric vivait encore dans son appartement. Elle lui avait même confié la semaine précédente que sa porte tremblait parfois comme si quelqu'un, dehors, secouait la poignée. Mais, lorsqu'elle regardait par la fenêtre, il n'y avait jamais personne.

Les paroles du commerçant me firent frémir et m'arrachèrent les larmes : Éric se croyait donc toujours abandonné par sa mère ? L'enfant si malheureux tentait de toutes ses forces de rentrer à la maison.

Après ces événements, je travaillai encore deux hivers dans cette boutique, avec le but non avoué de recroiser mon visiteur. Longtemps, j'ai trimbalé des caramels mous dans mon sac juste pour lui, sans jamais le revoir.

Après toutes ces années, je me dis que j'ai peut-être, finalement, réussi à aider Éric avec mes friandises et mon attention.

Alors, s'il vous arrive de croiser un jour un petit bonhomme aux yeux tristes qui a froid, ne le laissez pas repartir seul dans la nuit. Un peu d'attention et quelques sucreries, il faut si peu pour se sentir aimé.

TABLE DES MATIÈRES

MARQUIS

Québec, Canada

RECYCLÉ
Papier fait à partir
de matériaux recyclés

FSC www.fsc.org **FSC® C103567**

100%   PERMANENT   BIO GAZ
                    ÉNERGIE